EISPRONG

Judith Uyterlinde

EISPRONG

Een verhaal
over liefde en
het verlangen
naar een
kind

Mets & Schilt, Amsterdam
Manteau, Antwerpen

INHOUD

I HET BEGIN, *of hoe ik een tweeling en mijn vertrouwen in psychiaters verlies*

Onze fietssturen waren al met elkaar verstrengeld, maar wij hadden nog niet eens gezoend. Ze hadden ons na sluitingstijd met zachte hand uit het café moeten verwijderen. Nu haalden we buiten wat klungelig onze fietsen uit elkaar. 'Mag ik je een onzedelijk voorstel doen?' vroeg hij. 'Kom je nog een biertje bij me drinken?'

Ik had Paul pas leren kennen en vond hem grappig en aantrekkelijk en oorspronkelijk en eigenzinnig. Iedere ideologie leek hem vreemd, zijn gedachten sprongen alle kanten op. Hij danste op precies dezelfde, ongecontroleerde manier, met zwaaiende en hortende bewegingen, die iets kinderlijks hadden. Toen ik hem zag dansen, werd ik verliefd op hem.

Hij bleek in een voormalig pakhuis te wonen, in een gigantische kamer. Het was er godvergeten koud. Het liefst was ik meteen met hem het grote bed in gedoken, maar mijn doortastendheid was ver te zoeken. Ik trok alleen mijn schoenen uit, om toch een gebaar te maken.

Paul stak de houtkachel midden in de kamer aan. Ik had nog nooit een houtkachel aangestoken en wist niet waar ik mijn handen moest laten. Misschien had ik niet mee moeten gaan. De vanzelfsprekende intimiteit van zojuist hadden we in het warme café achtergelaten. Hij nam geen enkel initiatief tot de beloofde onzedelijkheid. Hij gaf me wel een biertje, het laatste dat hij in huis had, zei hij. Het leek alsof er spijt in zijn stem doorklonk, maar het kon evengoed een hint zijn dat ik maar beter kon opstappen. Toen mijn glas leeg was, begon ik met bruuske gebaren mijn schoenen aan te trekken. 'Dan ga ik maar weer.'

Het moment daarop stonden we te zoenen. De rest van het weekeind brachten we in zijn grote bed door. We gingen er alleen uit om eten en drinken aan te slepen en om verse houtblokken op het vuur te gooien. De gordijnen bleven dicht en de stekker van de telefoon ging eruit. Door de geur na het vrijen wist ik dat we bij elkaar pasten: we roken heerlijk samen. Niet dat ik geloofde in de ware liefde. Maar vanaf dat moment vond ik iedere nacht zonder hem een verloren nacht.

We lopen gearmd door New Orleans en blijven staan luisteren bij elke straatmuzikant. 'Mag ik je een onzedelijk voorstel doen?' vraag ik. 'Zullen we een kind maken?' Ik wil horen hoe die vraag uit mijn mond klinkt. Niet gek, geloof ik. Misschien is het echt wel een goed idee. Ik vind dat kinderen krijgen bij het leven hoort. Je hoort mensen vaak zeggen dat ze van kinderen houden, of van dieren. Die soortomvattende liefde is mij vreemd. Ik hield van de hond van mijn ex, die ons mee uit wandelen nam naar het bos en naar het strand. Ik houd van de kinderen van mijn broer, die graag bij ons komen logeren. En ik twijfel er niet aan dat ik ook van ons kind zou houden. Als ik van iemand een kind zou willen, is het wel van Paul. De idyllische taferelen doemen voor mijn geestesoog op, vermengd met erotische fantasieën: ik geef onze baby de borst, terwijl Paul zachtjes met me vrijt.

Deze zwoele, heupwiegende stad lijkt me in een romantische roes van verstandsverbijstering te brengen. Want wat moet iemand als ik met kinderen. Ik wil verre reizen maken, mensen ontmoeten, nachtenlang feestvieren, dansen en flirten, mooi viool leren spelen en liefst ook saxofoon. Alle boeken van de wereld lezen, uitgever worden, of schrijver, of journalist, of zangeres in een ruige band. Aan huisdieren ben ik nooit begonnen en planten overleven mijn gebrek aan aandacht zelden. De rol van tante past vast beter bij mij. De favoriete tante die exotische cadeaus voor je meebrengt uit verre oorden. Die je meetroont naar de kroeg als je daar eigenlijk nog te jong voor bent.

Zelf had ik zo'n lievelingstante, die veel rookte en wijn dronk en vrijwillig ongetrouwd en kinderloos was. Ze vertelde me over haar ingewikkelde verhoudingen met getrouwde mannen. Al waren die vaak problematisch, ik vond ze oneindig veel spannender en opwindender dan het huwelijksleven van mijn ouders. Zo wilde ik het ook later.

Als je kinderen krijgt, word je vanzelf moeder en echtgenote. Dat schrikbeeld heeft me tot nu toe weerhouden van het voorstel dat ik op dit moment hardop uitprobeer. Ik ben inmiddels al jaren samen met Paul. We delen zelfs een huis, maar de sleur heeft nog niet toegeslagen. Een schoolvriendje van vroeger had ouders die zich na twintig jaar huwelijk nog altijd verliefd gedroegen. Ze maakten er een sport van steeds weer nieuwe koosnaampjes voor de ander te bedenken. Mijn ouders en de meeste stellen in hun vriendenkring lagen in scheiding of waren gescheiden. Ik vond het heel normaal dat je na verloop van tijd op elkaar uitgekeken raakte. Dat kleffe gedoe bij mijn vriendje thuis leek me nogal overdreven. Mij hoef je niet voor de gek te houden, dacht ik, tot ik inzag dat ze het echt meenden. Het kan dus toch. Maar het is wel zeldzaam.

Sommige mannen zijn romantischer, met andere kan ik beter praten. Ik kan me van alles voorstellen over mezelf en andere mannen, maar niet dat ik met een van hen liever mijn leven zou delen dan met Paul. Wij zijn gaan samenwonen na een mooie lange reis naar Indonesië, waar Pauls vader is geboren. Daar kochten we een prachtig zwart houten beeldje, met verstrengelde figuren, die een familie vormden. Niet lang daarna stonden we te schilderen in ons huurhuis in de Amsterdamse Pijp.

Met Paul zag ik samenwonen niet langer als een vorm van vrijheidsberoving. Hij heeft iets wat me aan hem bindt. Hij is niet voorspelbaar, hij blijft me verrassen met zijn hersenkronkels en zijn grappen. Hij claimt me niet, hij dwingt me niet in één rol. Misschien dat ik het met hem wel kan: echtgenote en minnares tegelijk zijn. En, waarom niet, ook moeder.

Ik weet zeker dat hij een leuke vader zal zijn. Sommige mensen hebben kinderen. Anderen hebben iets met kinderen. Hij behoort tot de laatste categorie. Hij wist altijd al dat hij kinderen wilde. Voor mij was het iets voor later. Nu is het later. We lopen naar ons logeeradres en vrijen alsof het onze eerste nacht samen is, teder en gepassioneerd. Ik ben bijgelovig: een kind verwek je met liefde. Het is vast in één keer raak.

We krijgen een telefoontje uit Frankrijk: de vader van Paul heeft tijdens de vakantie een hersenbloeding gekregen. Dick ligt nu halfzijdig verlamd in een Frans ziekenhuis. Hij kan niet meer praten en reageert nergens op. Voor het eerst sinds ik Paul ken, zie ik tranen in zijn ogen. We reizen onmiddellijk af. We zijn bang dat Dick doodgaat of, erger nog, nooit meer beter wordt. De hele familie verzamelt zich in het kleine vakantiehuisje, waar angst, bezorgdheid en extreme vrolijkheid elkaar afwisselen. Het is een cultuurschok in deze familie, die geen sterke traditie van intimiteit kent. Pauls moeder ging vroeg dood en liet Dick achter met drie jonge kinderen. Hij was geknakt en wist zich geen raad met het verdriet van de kinderen. Hij zorgde voor ze, maar over hun moeder werd niet meer gesproken. Dick ontmoette zijn tweede vrouw toen de kinderen het huis al uit waren.

Geertje had ook de nodige ellende achter de rug, maar zij was een prater die er niet voor terugdeinsde om oud zeer op te rakelen. Het was vooral aan haar te danken dat er weer zoiets als een familieband ontstond. Nu organiseert Dick door zijn hersenbloeding de eerste echte familiereünie. Tussen de ziekenhuisbezoeken door praten, huilen en lachen we alsof ons leven ervan afhangt. Voor mij is het de eerste keer dat er in de nabije omgeving zo'n groot verlies dreigt. Paul en ik vergeten helemaal dat we al geruime tijd pogingen doen ons voort te planten. Nu bedrijven we de liefde om de rondwarende dood te verjagen. Het helpt.

Dick begint weer te praten. In eigenaardig hoogdravende zinnen: 'Van welke officiële instantie uit dit instituut heb je deze informatie verkregen?' En: 'De bewaaiiering in dit vertrek is zeer aangenaam.' Er duiken ook veel Maleise woorden in zijn zinnen op. De eerste twintig jaar van zijn leven heeft hij in Indonesië gewoond. Hij is geboren uit een Indische moeder en een Nederlandse vader.

Paul lijkt op hem. Hij heeft dezelfde mooie slanke bouw, dezelfde creatieve en onafhankelijke geest en dezelfde onbegrensde nieuwsgierigheid. Hoewel Dick nog steeds met een scheefgezakte Popeye-mond in het ziekenhuis ligt, is hij nu alweer met zijn walkman op aan het genieten van zijn nieuwste ontdekking: de muziek van Tom Waits die Pauls broer voor hem heeft meegebracht. De bloeding is zo ernstig geweest dat gaandeweg duidelijk wordt dat hij veel dingen nooit meer zal kunnen. Dick tenniste veel en hij was van plan om tot zijn dood te blijven werken. Dat kan hij nu wel uit zijn geplaagde hoofd zetten.

Mijn handen jeuken als ik hem zie worstelen met het omdoen van zijn horloge. Zal ik je maar even helpen? Maar na oneindig lang friemelen heeft hij het zelf voor elkaar. Ik ben onder de indruk van zijn geduld en doorzettingsvermogen. Waar haalt hij het vandaan? Langzaam leert hij weer praten, lopen en beide handen gebruiken, zij het met de nodige beperkingen. Hij heeft chronisch pijn aan zijn voet, raakt snel vermoeid en heeft moeite zich langdurig te concentreren. Toch blijft hij de levensgenieter die hij was. Ik hoop dat Paul ook zo oud wordt. Maar dan zonder hersenbloeding.

Het heeft meer dan een jaar geduurd, maar nu is het zover. Ik voel me heel erg sexy. Als een kersverse moeder die de foto van haar kroost aan iedereen opdringt, loop ik te pronken met mijn borsten. Die zijn in een paar maanden tijd opzienbarend groot en stevig geworden, en heerlijk gevoelig. Het lijkt of ik er zes zintuigen bij heb gekregen. Ik kom klaar als de koningin van Vuurland.

Ik ben zo vol van mijn zwangerschap dat ik het aan iedereen vertel die het maar horen wil. Zo krijgt het voor mij ook steeds meer betekenis. Van mijn vriendinnen Isabel, Lisa en Natascha krijg ik het boek *Bevallen en opstaan*. Ze hebben er welwillende opdrachten in geschreven, dat zij wel willen oppassen, en dat opgroeien met een 'au pair' ook heel leuk kan zijn. Ze verklaren mij voor gek dat ik vrijwillig kies voor de onvrijheid van een kind, terwijl ik nog niet eens de magische dertig-grens gepasseerd ben. Maar ze vinden het ook wel interessant, ik ben de eerste in onze vriendenkring. Als dank voor het boek mogen ze een blik werpen op mijn ontblote borsten. Die oogsten gepaste bewondering.

Eén vriendin, Anna, heeft al wel een kind. Omdat zij er geen man bij had, mocht ik de bevalling bijwonen. Ze beviel op een baarkruk voor het bed. Ik zat achter haar om haar te ondersteunen. Tussen de weeën door liet ze zich achteroverzakken in mijn armen en ik streek het haar uit haar bezwete gezicht. Tijdens het persen vouwde ik me als een levende leunstoel om haar heen en kneep zij blauwe plekken in mijn benen. Haar pijnscheuten ving ik op met mijn lichaam. Ook de bevrijdende grote golf voelde ik van binnenuit ontstaan. Ik had een spiegel aan haar voeten gezet zodat ze kon meekijken. Anna was half buiten westen van de inspanning, maar ik zag het hoofdje te voorschijn komen en het kleine lijfje naar buiten gutsen. Alles stroomde, bloed, vruchtwater, tranen. Ik mocht de navelstreng doorknippen. Haar dochter werd naar mij vernoemd. Judith is nu vier jaar en wil later ook met Paul trouwen.

Mijn moeder en mijn 'schoonmoeder' vinden het fantastisch dat ik zwanger ben. Mijn moeder heeft al drie kleinkinderen, van mijn oudste broer, maar hoopt dat het er nog veel meer worden. Ieder nieuw leven in de familie lijkt een verlate overwinning op de nazi's die haar moeder, tantes, neefjes en nichtjes hebben vermoord. De kleinkinderen vormen haar persoonlijke compensatie, maar ook haar triomf: zo gemakkelijk komen jullie niet van ons af!

Geertje heeft twee dochters uit een eerder huwelijk, maar nog geen kleinkinderen. Haar ene dochter Loes wil wel graag, maar zij woont samen met een man die zich als twintiger al heeft laten steriliseren. Simon was er zo zeker van dat hij nooit kinderen wilde dat hij de dokter zover wist te krijgen. Sommige mensen overtuigen anderen gemakkelijker dan zichzelf. Nu heeft hij een operatie ondergaan om het ongedaan te maken, maar je zaad schijnt er na jaren afknijpen niet beter op te worden. Geertjes andere dochter Irene heeft het syndroom van Down en is ook gesteriliseerd. Daar had geen overredingskracht aan te pas hoeven komen.

Paul heeft zelf nog een broer en een zus, maar de kans dat die zich voortplanten lijkt niet zo groot. Zijn zus is lesbisch en de relaties van zijn broer houden nooit lang stand. Paul vindt het leuk dat de geslachtsnaam van zijn vader nu wordt voortgezet, al vermoed ik dat het Dick een zorg zal zijn. Als wij maar gelukkig zijn. Simon en Loes reageren stroef op ons nieuws. Ze zijn zeker jaloers. Mijn jongste broer is verbaasd – jíj, nu al? – en begint me plagerig een toekomst vol poepluiers en gekrijs voor te spiegelen. Over twee jaar wil hij wel weer bij me langskomen, als het kind uit de luiers is en begint te praten. Mijn vader moet van de schrik bekomen, voor hij me ontroerd in zijn armen sluit. Hij ziet mij nog altijd als zijn lieve kleine prinsesje. Mijn oudste broer, die uit ervaring spreekt, zegt plechtig dat kinderen krijgen een verrijking van je leven is. Hij en zijn vrouw verheugen zich enorm op een nichtje of neefje, net als mijn jongere zusje.

Alleen op mijn werk praat ik er niet over. Ik heb een tijdelijk contract als redacteur op een uitgeverij. Daar overwegen ze me een vaste aanstelling te geven. Misschien bedenken ze zich als ze weten dat ik een kind krijg.

Ik ben nu twaalf weken zwanger. Ik lees van alles over zwangerschap en kijk voor het eerst van mijn leven naar babykleertjes. Ik koop een katoenen vestje met een ontroerend kanten kraagje en berg het zorgvuldig op in de kast. Voor mezelf koop ik een wijdere broek, want ik word snel dikker. Paul legt vaak beschermend zijn handen op mijn bollende buik. Ik vergeet zo nu en dan dat ik zwanger ben, maar word daar dan door zijn blik aan herinnerd. Hij kijkt anders naar me, intenser, nieuwsgierig en verbaasd.

We beginnen over namen na te denken. Ik constateer tot mijn eigen verbazing dat ik ons kind graag een joodse naam wil geven. Ik had niet gedacht dat ik op die manier iets van een familie-erfenis zou willen doorgeven. Ik dacht dat ik niet hechtte aan traditie of genealogie. Maar nu ik zwanger ben, voel ik me deel van een groter geheel. Ik ga het verleden met de toekomst verbinden door een kind op de wereld te zetten. Mijn moeder heeft een stamboom van de familie van moederskant. Op één dichtbeschreven bladzijde eindigen alle namen in morbide eensgezindheid in dezelfde plaats en hetzelfde jaar: Auschwitz 1943. Een van die namen wil ik graag nieuw leven inblazen. Paul vindt het goed.

Ik bekijk baby- en kinderfoto's van mezelf en van Paul om me een voorstelling te maken van hoe ons kind eruit zal gaan zien. In mijn familie worden vaak grapjes gemaakt over het sterke gen van moederskant. Je herkent een familielid op kilometers afstand aan de bolle wangen, fonkelende ogen en zware wenkbrauwen. Als er een nieuw kind wordt geboren, wordt er tevreden geconstateerd dat het kleintje 'het stempel' ook draagt. Zelf ben ik maar gedeeltelijk gezegend met de grove, donkere schoonheid van mijn moeders familie. Ik heb de kalme groenbruine ogen van mijn vader geërfd. Mensen zijn verdeeld in hun opvattingen of ik het meest op mijn vader of op mijn moeder lijk.

Mij is het om het even: ze zien er allebei goed uit. Paul heeft helblauwe ogen en had als kind behoorlijk blond haar, ondanks het Indische bloed van zijn vader. Genetische eigenschappen slaan soms een generatie over. Misschien ziet ons kind er wel weer Indisch uit. Ik heb het liever donker dan heel blond en blauw. Ik hoop op ons familiestempel in combinatie met de fijne gelaatstrekken van die van Paul. Muzikaal, levendig en intelligent. En gezond natuurlijk.

De vroedvrouw zegt bij het onderzoek dat alles goed aanvoelt. Ze kan alleen het hartje nog niet horen kloppen. Dat zegt niets, zegt ze, dat gebeurt heel vaak. Vermoedelijk ligt het kind te diep in de buik, buiten bereik van de stethoscoop. Ik had me verheugd op dit eerste teken van leven. Op mijn aandringen spreken we af dat er over twee weken een echo wordt gemaakt.

Een dag voor die afspraak begint het te rommelen in mijn buik. We zijn net op weg naar café De IJsbreker, waar mijn favoriete Spaanse schrijver voor de televisie zal worden geïnterviewd. Ik heb meegewerkt aan de voorbereidingen van dit interview. Paul heeft zich met moeite eerder van zijn werk kunnen vrijmaken om met me mee te gaan. Voor De IJsbreker breekt het klamme zweet me uit. Ik heb het gevoel dat ik ieder moment kan flauwvallen. Het voelt net als toen ik voor het eerst ongesteld werd. Ik moet naar huis, ik moet liggen. 'Het gaat niet goed daarbinnen,' zeg ik tegen Paul. Hij begeleidt me naar huis, geërgerd en bezorgd, en vertrekt dan om boodschappen te doen op de Albert Cuypmarkt.

Ik ga op bed liggen. Dan begint het bloeden. Ik bel de vroedvrouw. 'Tussentijds bloedverlies is heel normaal,' zegt ze. 'Dat komt wel vaker voor. Maak je geen zorgen.'

Ik probeer te ontspannen. Paul had allang terug kunnen zijn. De pijn wordt bijna ondraaglijk. Ik sleep me naar de wc en blijf daar zitten omdat ik me te slap voel om terug te gaan naar de slaapkamer. Ineens voel ik dat ik meer verlies dan bloed. Ik hoor een ploffend geluid onder mij. De krampen nemen onmiddellijk af. Ik weet dat ik een miskraam heb, maar ik kan de betekenis daarvan niet vatten. Ik voel alleen maar fysieke opluchting. Ik sta op om te kijken, maar ik kan geen embryo herkennen in die glinsterende bloedklomp. Toch zal die er wel in zitten.

Ik heb nog nooit gehoord of gelezen wat anderen in zo'n situatie doen. Moet ik gereedschap gaan halen om te kijken of het embryo zichtbaar wordt als ik het vlies weghaal? Een stokje? Mes en vork? Of kan ik het beter meteen begraven in de tuin? Je mag niet zomaar een lijk in de tuin begraven, daar zijn regels voor. Maar een embryo is toch nog geen lijk? Misschien moet ik wachten tot Paul terug is, zodat we het samen kunnen doen. Maar ik ben kwaad op Paul, hij heeft me alleen gelaten. Gewoon doorspoelen dan maar? Of eruithalen en in de vuilnisbak gooien? Dan kan ik hem straks

choqueren met de mededeling: 'Je kind ligt in de vuilnisbak.'

Bewaren, besluit ik, misschien moet het nog on-
derzocht worden. Ik haal een opscheplepel uit de keu-
kenla, schep het drillerige geheel uit de wc-pot en doe
het in een tupperware bakje. Misschien had ik het
eerst moeten laten afkoelen, denk ik terwijl ik in de
vriezer ruimte maak tussen een plastic zak met inkt-
vis van de Albert Cuyp en een gesealde maïskip uit de
supermarkt, die onbeholpen op haar rug ligt, met de
poten omhoog. Dan spoel ik de opscheplepel zorgvuldig af en leg hem terug in de la. Nu pas merk ik hoe
erg mijn benen trillen. Ik moet weer naar bed. Paul is
nog steeds niet thuis. Ik bel Isabel, maar die is er niet.
Natascha wel. Ze komt meteen en houdt me vast. Nu
kan ik eindelijk gaan huilen. En zoveel wijn drinken
als ik maar wil.

Paul was op de markt een vriend tegengekomen,
met wie hij naar de kroeg was gegaan. Nee, misschien
was het toch niet zo'n goed idee geweest om zo lang
weg te blijven. Achteraf gezien. Maar hij had dit natuurlijk ook niet kunnen voorzien. Ik zoek altijd psy-
chologische verklaringen voor andermans gedrag. Die
tic heb ik van thuis meegekregen. Pauls vluchtneigin-
gen, die niet nieuw voor me zijn, verklaar ik uit de manier waarop thuis met de dood van zijn moeder werd
omgesprongen. Verdriet kun je niet delen, dat moet
je zo snel mogelijk vergeten. Als je doet alsof het er

niet is, verdwijnt het vanzelf. Zo is hij geconditioneerd, hij kan er ook niets aan doen.

Dit keer helpt het niet veel om dat te bedenken. Ik begin te twijfelen of het wel zo'n goed idee is om mijn leven te delen met een man die het op cruciale momenten laat afweten. Er kunnen nog zoveel rampen volgen. Hoe ouder je wordt, hoe meer ellende je te wachten staat. Tot nu toe hebben we het heel goed met elkaar gehad, maar dat was geen kunst, want alles ging voorspoedig. Maar straks krijgen we kinderen. Stel dat die ernstig ziek worden, of dat ze doodgaan?

Mijn moeder gaat de volgende dag mee naar de echo-afspraak in het Prinsengrachtziekenhuis. Ik heb besloten die toch te laten doorgaan, voor de zekerheid. Ik kan nog niet echt geloven dat een zwangerschap na zo'n lange aanloop zo snel teniet kan worden gedaan. Van tevoren moet ik heel veel water drinken, zodat mijn blaas in de wachtkamer bijna uit elkaar klapt. Als ik eindelijk op de onderzoekstoel lig, vergeet ik een moment lang mijn aandrang. Ik zie op het scherm een onmiskenbaar embryo. Het heeft al menselijke vormen, een hoofd, een romp, armpjes en beentjes. Zie je wel! Ik heb alleen maar bloed en slijm verloren! Ik ben nog gewoon zwanger! Mijn hart begint sneller te kloppen, maar de arts velt zijn vonnis: 'Er is geen hartactiviteit meer. Dit is een foetus van ongeveer twaalf weken oud. De zwangerschap is dus al een week of twee terug afgebroken. Vermoedelijk is het een twee-eiige tweeling geweest, en ben je de andere vrucht gisteren verloren.'

Ik verwonder me over het woord 'vrucht', hoor mezelf beleefd bedanken voor de informatie, gris mijn kleren bij elkaar en ren naar de wc. Eerst plassen. Dan overgeven. Dan huilen.

Mijn moeder omarmt me als we samen het ziekenhuis uit lopen. Troostend zegt ze: 'Ach joh, een tweeling was toch ontzettend onhandig geweest. Dat is zo druk, je hebt er geen idee van. Daar had ik niet op willen passen, hoor.'

Ik herinner me een andere keer dat ze me wilde troosten, jaren geleden. Het was net uit met mijn eerste grote liefde, een jongen tot wie ik me zo hevig aangetrokken voelde dat we ook in het openbaar niet van elkaar af konden blijven, tot ergernis van alle omstanders. We gingen volledig in elkaar op. Oudere mensen vonden hem onbeleefd, maar ik vond hem stoer, authentiek en onconventioneel. Hij gaf uit principe geen handen, dat vond hij een loze plichtpleging. Zo links als hij had ik ook heel graag willen zijn, maar daar was ik te frivool voor. Hij vertrok naar Nicaragua om de revolutie te steunen. Ik ging op wereldreis en had het ene amoureuze avontuur na het andere. In mijn brieven deed ik hem daar minutieus verslag van, want jaloezie was kleinburgerlijk en wij hadden een open relatie. Maar toen ik terugkwam, had hij inmiddels een nieuwe grote liefde. Met zo'n radicale vorm van ontrouw had ik geen rekening gehouden. Ik plengde dikke tranen boven mijn pizza. Terwijl mijn moeder een hap van de hare nam, zei ze: 'Ach joh, het is maar goed ook, hij was toch een onaangepaste jongen.'

Troosten is een kunst die maar weinigen beheersen, ook al bedoelen ze het nog zo goed. Mensen denken vaak dat troosten gelijkstaat aan zeggen: 'Kop op, het valt allemaal best mee', 'Over een tijdje ben je het allemaal weer vergeten', of: 'Het is eigenlijk beter zo.' Maar degene die getroost wil worden, heeft daar geen boodschap aan. Het valt helemáál niet mee, het is helemáál niet beter zo!

Toen mijn broer de middelbare school verliet, belandde hij in een crisis. Hij wist niet hoe hij zijn leven richting moest geven, hij was ontzettend bang voor de toekomst. Hij raakte letterlijk en figuurlijk verkrampt. Op een bepaald moment werd het zo erg dat hij bijna niet meer kon praten. Mijn ouders, die op dat moment in scheiding lagen, wisten niet hoe ze hem konden helpen. Mijn vader overstelpte hem met wijze raadgevingen, waar mijn broer absoluut niets mee kon beginnen. Zijn verstarring werd er alleen maar erger door. Mijn vader kon het niet aanzien en op een goede avond barstte hijzelf midden in een van zijn goedbedoelde monologen in tranen uit. 'Ik zou je zo graag willen helpen,' snikte hij, 'maar ik weet ook niet hoe. Ik vind het allemaal zo ontzettend naar voor je.'

Hierop liet mijn broer zijn tranen ook de vrije loop. Eindelijk werd zijn gevoel van machteloosheid niet weggepraat door goede raad, maar gedeeld. Deze gezamenlijke huilpartij van twee mannen die het normaal niet in hun hoofd haalden om in het bijzijn van een ander een potje te grienen, vormde de opmaat naar mijn broers herstel.

De dokter zegt dat ik het best kan wachten tot de tweede vrucht ook vanzelf het lichaam zal verlaten. 'Het lichaam heeft de natuurlijke neiging om dood materiaal af te stoten.' Hij vertelt ook dat bij een eerste miskraam gewoonlijk geen onderzoek plaatsvindt, want ze kunnen meestal toch geen oorzaak vinden. Het materiaal dat ik nog in de vriezer heb, hoef ik dus niet te bewaren.

Er spreekt een grenzeloze afstand uit die woorden: vrucht, materiaal. Alsof het niets met mij te maken heeft. En vooral niets met hen. Okay, dan mik ik het materiaal in de vuilnisbak. Samen met het veel te schattige katoenen babyvestje, dat ik nooit had moeten kopen. Wat een hoogmoed om zo op de zaken vooruit te lopen!

Ik neem wisselbaden en fiets door kuilen om de andere helft ook kwijt te raken. Ik vraag aan Paul om me heel hard te nemen, met diepe stoten. Ik wil mijn lichaam straffen en laten schrikken, maar het blijft akelig rustig in mijn buik. Ik heb niet zoveel vertrouwen meer in de natuurlijke neigingen van mijn lichaam. Dat embryo is vast niet van plan mijn lichaam uit eigen beweging te verlaten. Ik ben me voortdurend bewust van het dode leven in mijn buik. Ik heb weleens gelezen over een lijkschouwing waarbij ze een versteend embryo aantroffen in de baarmoeder van een oude vrouw, die daar meer dan een halve eeuw mee had rondgelopen. Ik moet er niet aan denken. Ik dring erop aan dat ze het in het ziekenhuis weghalen. Maar er is ruimtegebrek in de ziekenhuizen. We schakelen een bevriend gynaecoloog in en ineens blijkt een spoedopname voor een curettage binnen een week toch mogelijk, op vrijdag de 13de. Wat zou het. Er kan toch niet veel meer aan mis gaan.

De week sleept zich voort. Dan mag ik eindelijk naar het Academisch Medisch Centrum. In de ziekenzaal speelt mijn moeder een potje scrabble met me, om de tijd te doden. We houden geen van beiden van spelletjes, maar nu leidt het prettig af. De eerste en laatste keer dat ik in een ziekenhuis lag, was ik een jaar of drie, en daar kan ik me niets meer van herinneren. Ik ben nog nooit geopereerd. 'Het is geen operatie, het is een kleine ingreep,' stelt de zuster me gerust. Ik moet een wegwerponderbroek en een stijf katoenen ziekenhuishemd aan en krijg een tuttig douchekapje op mijn hoofd. 'Voor de hygiëne,' legt de verpleegster uit. Ook moet ik mijn ring, ketting en horloge afgeven. Niets van mezelf mag mee de operatiekamer in. Het lijkt een voorproefje op de narcose van straks: ze laten me nu al een beetje verdwijnen. Hoewel ik uitstekend in staat ben om zelf te lopen, word ik op een ziekenhuisbed naar de operatiekamer gereden. De anestesist geeft me een hand en stelt zich voor. Ik ben hem dankbaar voor dit menselijke gebaar in deze steriele omgeving.

Er lopen nog een paar mensen rond, allemaal in dezelfde groene kleding, net als op televisie, in die bloederige operatieprogramma's waar je soms per ongeluk in verzeild raakt. Ik vang een glimp op van een tafeltje met medisch gereedschap. Zouden ze het met een vork op een lange steel doen? Of met een vacuümzuiger? Ik probeer mijn gedachten door te zappen, naar een ander programma. Maar ze blijven hardnekkig haken aan de instrumenten.

Intussen wordt het infuus aangebracht, waardoor ze straks de narcose gaan toedienen. Ik ben niet bang voor naalden. Als student heb ik meegewerkt aan een bloedonderzoek naar pilgebruik. Daarvoor moest je suikerwater drinken en veel bloed laten aftappen. Het betaalde uitstekend. Als je je kunt ontspannen, voel je er nauwelijks wat van. Ik kan me heel goed ontspannen.

De narcose vind ik wel eng. Ik heb weleens gehoord dat je erin kunt blijven.

Terug in de ziekenzaal kijkt Paul met grote angstogen naar mijn infuus. Het doet me goed te merken dat hij zich zorgen om mij maakt. De miskraam zelf lijkt hem niet zo aan te grijpen, al weet ik het nooit zeker bij hem. Hij is zo gesloten dat ik hem vaak plaag dat hij geen gevoelens heeft. Mijn moeder had me voor de curettage gezegd dat hij bleek zag, dat hij er helemaal van in de war was. Ik heb daar niets van gemerkt. Misschien word ik wel zo in beslag genomen door wat zich in mij afspeelt, dat ik niet zie wat het met hem doet. Ik voel me beurs vanbinnen, alsof ik heel hard in mijn buik ben getrapt, en ik vraag om een pijnstiller. Als de pijn begint te zakken, voel ik een primitieve behoefte om te zien wat ze uit mijn buik hebben gehaald. De dokter zegt dat het niet kan. 'Het materiaal is al vernietigd.' Alles is weg. Ik ben helemaal leeg.

Paul heeft een theorie bedacht. Hij vertelt over een vriendin van hem die ooit een abortus had gepleegd en daar veel last van had gehad. 'Dat is veel moeilijker dan een miskraam,' zegt hij. 'Bij een abortus haal je een gezond kind weg. Wat je bij een miskraam verliest, had toch nooit een gezond kind kunnen worden.'

Ik sputter verbouwereerd tegen: een abortus pleeg je vrijwillig, een miskraam overkomt je. Op een abortus kun je je nog enigszins voorbereiden, een miskraam overvalt je. Een abortus pleeg je doorgaans in het begin van je zwangerschap, wij waren de kritieke driemaandengrens inmiddels gepasseerd. Maar eigenlijk wil ik er helemaal niet over praten, niet op deze manier. Dus begin ik maar weer te huilen.

Ik zou willen dat Paul zich ook eens zou laten gaan, of op zijn minst gewoon zou zeggen dat hij het ook erg vindt. Hoe kunnen we dit verlies anders delen? Het moet voor hem toch ook een teleurstelling zijn. Hij had zich er toch ook op verheugd? Anders had hij me toch niet voor het slapengaan steeds zo liefdevol op mijn bollende buik gekust. 'Hallo, hallo jij daarbinnen,' zei hij dan, 'hoe gaat het ermee? Lig je warm daarbinnen? Wij gaan nu lekker slapen, doe jij dat ook maar. Dan word je groot en sterk.'

De dag nadat ik uit het ziekenhuis terugkom, nog wankel van de narcose en de emoties, blijft Paul na zijn werk opnieuw veel te lang in de kroeg hangen. Als hij in een wolk van drank en sigaretten eindelijk thuiskomt, explodeer ik. Dit is niet normaal! Als hij niet verandert, kan hij definitief naar het café verhuizen! Ik wil mijn leven niet delen met zo'n klootzak die mij alleen laat op momenten dat ik hem het meest nodig heb. En hoe vaak komt dat nu helemaal voor! Die ene keer dat ik steun van hem nodig heb, moet hij zich zo nodig laten vollopen. Zou hij het normaal vinden als ik met mijn vriendinnen op stap ging terwijl hij alleen thuis lag na te bloeden? En het was toch niet zomaar een ingreep, het was ook zijn kind! Het was het tweede kind in een week tijd dat we verloren hebben. En het is de tweede keer in een week dat hij me op zo'n hufterige manier in de steek laat! Een kind krijgen doe je samen, een kind verliezen ook. Als hij zo'n slappeling is dat hij dat niet kan opbrengen, dan rot hij maar op.

Alles gebeurt verdomme met mijn lichaam. Hij kan gewoon naar zijn werk gaan terwijl ik leeggeschraapt op de bank lig. En hij hoeft niet eens een dag vrij te nemen, al had ik dat zelf wel gedaan als ik hem was. Maar het is toch een kleine moeite om na het werk meteen naar huis te komen? Misschien had hij dan thuis een fles wijn kunnen opentrekken. Ik heb daar de kracht nog niet voor, maar ik heb ook wel behoefte aan een drankje. Heeft hij daar niet aan gedacht, dat ik misschien ook wel iets wil? Dat ik zijn gezelschap op prijs had gesteld?

Aan dat lafhartige gedrag van hem moet onmiddellijk iets gebeuren, anders is het einde relatie. Ik wil dat hij binnen een week een afspraak maakt met een psychiater. Paul moet er niet aan denken: als hij ergens van gruwelt, is het gewroet in zijn zielenleven. Maar hij zwicht voor mijn dreigementen.

Triomfantelijk komt hij terug van zijn intake-gesprek. Hij had daar verteld dat hij door zijn vriendin was gestuurd. Daarop had de psychiater gezegd: 'Dan heb jij geen probleem, dan heeft jouw vriendin een probleem. Laat haar maar een afspraak maken.' Ik capituleer. Tegen zoveel onbegrip ben ik niet bestand. Wat moet je beginnen als zelfs psychiaters al gek zijn? Paul is een hopeloos geval, maar ik geef mijn strijd op. Ik ben veel te moe en heb niets te winnen. Als ik het nu uitmaak, tegen wie moet ik dan 's avonds aan liggen? Dus kijken we die avond samen naar een Amerikaanse feelgood-movie op de televisie. De film is walgelijk romantisch en verrukkelijk ergerniswekkend. Ik lig op de bank met mijn hoofd op zijn schoot, hij kroelt met zijn hand door mijn haar. Aanwezigheid is ook een vorm van troost. Uit elkaar gaan kan altijd nog als ik me weer beter voel.

Mijn buik staat nog steeds stompzinnig bol, terwijl dat nu nergens meer goed voor is. 'Je lichaam moet nog ontzwangeren,' zegt de dokter. 'Het duurt wel een paar weken voor je hormonenhuishouding weer op orde is.'

Paul wijt mijn huilbuien en boosheid aan die verwarde hormonen. Dat maakt mij ook weer boos, alsof het allemaal een puur fysieke aangelegenheid is, alsof ik niet emotioneel mag zijn om het verlies van het kind dat wij dachten te zullen krijgen, van de tweeling die in mij is doodgegaan.

Ik ben niet alleen boos op hem, ik ben boos op iedereen die mijn miskraam negeert of bagatelliseert.

De vrienden- en familiekring valt voor mij uiteen in twee kampen: mensen aan wie je iets hebt en mensen aan wie je niets hebt. Mijn moeder is niet altijd even tactisch, maar door haar toewijding verovert ze met stip plaats nummer één in de eerstgenoemde categorie. Ze komt vrijwel elke dag even langs en anders belt ze, om te laten weten dat ze aan me denkt. Geertje, die verder weg woont, stuurt een prachtige bos bloemen met een lief kaartje. Die deugt ook, evenals Isabel, Natascha, Lisa en Anna, die langskomen en me gezelschap houden. Ze nemen troostlectuur voor me mee en taartjes.

Er zijn ook mensen die ineens niets meer van zich laten horen. Vooral van mijn oudste broer en zijn vrouw, die zich zo enthousiast hadden betoond over mijn zwangerschap, kan ik het niet hebben. Als ik er boze dromen over krijg, besluit ik ze maar op te bellen en met mijn verwijt te confronteren. Oppotten gaat rotten. Daarvoor staan ze me te na. Dan blijkt dat ze niet hadden durven bellen, omdat ze zelf probleemloos drie kinderen hadden gekregen. Ze dachten dat ze me beter maar even met rust konden laten.

Een vriendin van mij heeft een theorie over de averechtse uitwerking van goede bedoelingen. Volgens haar komen de meeste misverstanden voort uit veronderstellingen. Mensen veronderstellen te veel en vragen te weinig. Terwijl vragen de beste manier is om de behoeftes van anderen te peilen. Ze hadden me kunnen bellen om te zeggen dat ze het naar voor me vonden. Ze hadden kunnen vragen of ik misschien liever nog even met rust gelaten wilde worden. Dan had ik nee gezegd en mijn verhaal kunnen doen, want dat is wat ik wil, vertellen wat er gebeurd is, zodat ik het zelf ook wat beter tot me kan laten doordringen.

Bij mijn eerste cafébezoek na de ziekenhuisopname reppen de vrienden met wie we hebben afgesproken de hele avond met geen woord over de miskraam. Ik was liever alleen thuisgebleven dan zo eenzaam tussen mijn vrienden in het café te zitten. Zij veronderstellen ongetwijfeld ook dat ik er liever niet over wil praten, dat ik er zelf wel over begin als ik dat wil.

De verlegenheid die de confrontatie met andermans verlies oproept, is mij niet vreemd. Ik vind condoleren na een sterfgeval ook moeilijk: welke woorden moet je kiezen, welke toon moet je aanslaan? Terwijl voor die situatie tenminste nog een woord bestaat waarop je kunt terugvallen: 'gecondoleerd'. Voor een miskraam bestaat zo'n standaardreactie niet. Het is dus logisch dat ze het lastig vinden. Toch ben ik teleurgesteld. Dit zijn mijn vrienden. Van hen verwacht ik dat ze zich over hun schroom heen zetten en belangstelling of medeleven tonen. Dat ik daar niet zelf om hoef te vragen.

Je hebt ook mensen die er wel iets over zeggen, maar de plank volledig misslaan. 'Het komt heel vaak voor. Eén op de vier zwangerschappen eindigt in een miskraam,' weet de een te vertellen. 'De volgende keer beter!' zegt de ander opbeurend, alsof ik net een spelletje Mens-erger-je-niet heb verloren.

Paul vindt dat ik overgevoelig ben. 'Als ze niets zeggen, is het niet goed, en als ze wel iets zeggen, is het ook verkeerd.' Misschien is dat wel zo. Misschien ben ik boos over de miskraam en uit zich dat in woede op het onvermogen van anderen om mij te troosten.

Maar toch. Ze hoeven alleen maar te vragen: 'Hoe is het nu met je?' En dan ook nog even het antwoord af te wachten in plaats van zenuwachtig net iets te snel op een ander onderwerp over te stappen.

Vrouwen maken hun zwangerschap doorgaans pas na drie maanden openbaar, omdat de kans op een miskraam voor die tijd het grootst is. Als het dan mis gaat, hoeft niemand het te weten. Alsof je wereld niet tweemaal op zijn kop heeft gestaan, eerst door de zwangerschap en dan door de mislukking. Alsof het iets is om je voor te schamen. Alsof je er zelf ook een beetje door mislukt. Ik ben toch verdomme mijn baarmoeder niet?

Het lijkt wel of alleen mensen die zelf een soortgelijke ervaring hebben gehad er iets van begrijpen. Bijvoorbeeld de broer van Isabel, een psycholoog, die inmiddels twee gezonde kinderen heeft. Zijn vrouw verloor hun kind nog veel later tijdens de zwangerschap. 'Het was het ergste dat ons is overkomen,' zegt hij ernstig. 'Het kind was zo levend, in haar buik, in onze gedachten, in onze toekomstplannen. Het duurde lang voor we over het verlies heen waren. Pas toen we een ander kind kregen, konden we het rouwproces afsluiten.' Vooral het wat plechtige woord 'rouwproces' blijft door mijn hoofd spelen. Er gaat erkenning van uit.

Als er iemand doodgaat, is de begrafenis een vorm van rouw, die het de nabestaanden mogelijk maakt

hun verdriet te delen. Je kunt gezamenlijk afscheid nemen van het lichaam, en na afloop je herinneringen
aan de overledene uitwisselen. Maar niemand heeft
nog herinneringen aan ons kind. Voor anderen bestond het immers nog niet. Het bestond alleen in mijn
buik en in mijn hoofd.

Bij een miskraam zijn er geen rituelen, is er geen begrafenis. Bij een miskraam is er niets, helemaal niets,
behalve de ongeschreven wet dat je dit verlies in stilte
draagt.

II VAN KINDERWENS TOT NACHTMERRIE,

of de jacht op tatoeages en levenslust

In plaats van een tweeling krijg ik een nieuwe baan. Op het moment dat ik was uitgerekend om te bevallen, vindt het sollicitatiegesprek plaats. Door technische storingen heeft de trein naar Den Haag vertraging. Bij het verlaten van de trein haal ik door een onhandige manoeuvre mijn panty open aan het hengsel van mijn tas. Er vormt zich onmiddellijk een enorme ladder. Ik spring in een taxi en vraag de chauffeur even te stoppen bij een winkel die ik binnenstorm om een nieuwe panty te kopen. Die trek ik achter in de auto aan, terwijl de chauffeur mijn verkleedpartij via zijn achteruitkijkspiegel nauwlettend volgt. Ik heb me mooi aangekleed en opgemaakt, ik zie er goed uit. Maar een echte vrouw zal ik nooit worden: panty's zijn te subtiel voor mij. Ik trek zo hard dat ook dit nieuwe exemplaar bezwijkt onder mijn ongeduldige handen. Niets meer aan te doen.

Een kwartier te laat arriveer ik bij een geïrriteerde sollicitatiecommissie. Ik steek mijn been omhoog en laat de gescheurde panty zien, terwijl ik de andere uit mijn tas trek. Dát zijn de boosdoeners, het ligt niet aan mij dat ik zo laat ben. Ze lachen en vanaf dat moment verloopt het gesprek heel ontspannen en aangenaam.

Een paar dagen later hoor ik dat ze me willen hebben, mede vanwege mijn flair en mijn talent om me uit een penibele situatie te redden. Paul en ik hebben nu allebei het soort baan waarop we hoopten: hij als journalist bij een gerenommeerd dagblad en ik als redacteur bij een uitgeverij in Den Haag. We openen een fles wijn en drinken op de toekomst.

Ik kom met mijn zusje van de Albert Cuyp, onze fietssturen behangen met plastic tassen. We hebben samen boodschappen gedaan. Ze is opvallend stil. Vlak voordat we afscheid nemen, met de fietsen aan de hand, zegt ze: 'Ik moet je iets vertellen. Ik ben zwanger.' Al vier maanden. Iedereen weet het, behalve ik. Ze is zichtbaar zenuwachtig nu ze het mij eindelijk durft te vertellen. Mijn kleine zusje krijgt eerder een kind dan ik. Dat is tegen de natuurlijke orde! Mijn broer heeft inmiddels ook al vier kinderen. Maar die is ouder, al schelen we niet veel. Zijn vrouw werd zwanger van de vierde rond de tijd dat ik mijn miskraam kreeg.

Ik ben een beetje beledigd dat niemand in de familie het mij nog had durven vertellen. Ik word kennelijk beschouwd als iemand die voor dit soort nieuwtjes gespaard moet worden. Maar ik ben meer geschokt dan jaloers. De miskraam ligt voor mijn gevoel alweer ver achter me. Het cliché dat de tijd alle wonden heelt, blijkt juist. Ruim een jaar geleden maakte ik me nog boos over ongevoelige opmerkingen als

'Pech gehad, volgende keer beter'. Nu denk ik dat zelf ook.

Met Paul heb ik het weer goed. Ik heb niet meer de neiging om hem naar de psychiater te sturen, we vullen onze vrije tijd liever met leuke dingen. We volgen een danscursus rock-'n-roll, gaan uit en maken mooie reizen. Mijn werk neemt me zo in beslag dat de gedachte aan kinderen nauwelijks meer bij me opkomt. Ik ben goed in dit werk, het geeft me voldoening. Het is afwisselend en boeiend. Ik mag boekenbeurzen in Afrika, Azië en Latijns-Amerika bezoeken. Ik geniet van de contacten met uitgevers en schrijvers uit alle delen van de wereld. Ik bruis van ambitie en ongeduld. Als ik in deze functie genoeg ervaring heb opgedaan, wil ik uitgever worden bij een literaire uitgeverij in Amsterdam. Het kan me niet snel genoeg gaan.

Van de plaats die kinderen in dit toekomstbeeld innemen kan ik me niet zo'n heldere voorstelling maken. De meeste uitgevers zijn mannen, die met hun werk getrouwd zijn. Het zijn of yuppies, of traditionele mannen: als ze al kinderen hebben, hebben ze ook een vrouw thuis die daarvoor zorgt. Vrouwelijke uitgevers hebben geen kinderen, op een enkele uitzondering na.

Wil ik zo'n uitzondering worden? Ik weet altijd het beste wat ik niet wil. Ik wil geen gestreste carrièrevrouw worden met alleen quality-time voor de kinderen. Ik wil al helemaal geen moederkloek worden die boven op haar kinderen zit en zelf alleen nog maar infantiele taal uitslaat. Maar wat ik het minst van alles wil, is te lang wachten met kinderen.

Mijn ouders waren jong, energiek en actief. Ze compenseerden hun gebrek aan onderlinge communicatie met een druk sociaal leven. Met vier kinderen op de achterbank maakten ze lange reizen door Europa, in een konvooi met andere gezinnen of alleenstaande ooms of tantes. Thuis hadden we vaak gasten, feesten en logeerpartijen. Als je niet te veel lawaai maakte en niet zeurde, kon je tot diep in de nacht opblijven zonder dat iemand eraan dacht je naar bed te sturen. Er waren altijd andere kinderen om mee te spelen. Ik wil ook graag kinderen tussen neus en lippen, tussen werk en vrienden, tussen feest en reizen. Daarvoor moet je vermoedelijk jong en in ieder geval flexibel zijn. Ik ben eenendertig en begin al te tobben of ik kinderen wel kan inpassen in mijn bestaan. Een teken te meer dat ik niet langer moet aarzelen. Mijn moeder had op mijn leeftijd al vier kinderen. En nu is mijn jongere zusje zelfs zwanger. Mijn pessarium, dat sinds de miskraam een ereplaats naast het bed had gekregen, gooi ik met een theatraal gebaar in de prullenbak.

Nog steeds niet zwanger. Ik houd goed bij wanneer ik vruchtbaar ben en roep dan tegen Paul: 'Kom, we gaan weer een kind maken!' We proberen van alles om het resultaat positief te beïnvloeden. Als ik een vallende ster zie, hoef ik nooit na te denken over mijn wens. Een vriendin geeft me een ketting met een steentje dat ik direct op de huid moet dragen om optimaal effect te sorteren. Dat heeft als bijkomend voordeel dat ik het onder mijn kleding kan laten schuilgaan. Diezelfde vriendin vertelt me dat haar zus zwanger is geworden na het nuttigen van Chinese vruchtbaarheidsbevorderende thee.

In een overmoedige bui loop ik zo'n winkeltje met poeders en kruiden op de Zeedijk binnen en vraag of ze dergelijke thee verkopen. Ik wacht eerst wel even tot er geen andere mensen meer in de winkel zijn. De Chinees achter de toonbank begrijpt niet wat ik bedoel. Ik probeer het uit te leggen en heb alweer spijt van mijn onderneming. De man roept er een compagnon bij, die beter Nederlands spreekt. Intussen komen er nieuwe klanten de winkel in. Met rode wangen fluister ik nogmaals waarvoor ik gekomen ben en gebaar met mijn handen: drinken, dikke buik. Verwarring alom. Uiteindelijk vlucht ik de winkel uit. Ik geloof dat ik ze binnen hoor lachen.

Op het tafeltje naast het bed, waar vroeger mijn pessarium lag, staat nu een Afrikaans vruchtbaarheidspoppetje van kleurige kralen bemoedigend te grijnzen. Ernaast ligt een amulet uit hetzelfde continent, dat bij anderen al diverse malen zijn diensten heeft bewezen. Eigenlijk hoort hij ook aan een ketting om mijn hals, maar dan raakt het daar wat al te dichtbevolkt. Dus laat ik hem 's avonds voor het naar bed gaan als een rozenkrans door mijn vingers glijden.

Ik heb eens gelezen dat de kans het grootst is als de man eerst klaarkomt en vlak daarna de vrouw. De gulzige baarmoeder slokt het zaad dan met orgastische bewegingen naar binnen en stuwt het de eileiders in. Soms spreken de berichten elkaar tegen. Volgens de één moet de man minstens een dag van tevoren nog een zaadlozing hebben gehad, zodat het zaad energiek – níeuw, nu nóg beter! – doel kan treffen. De ander beweert dat een paar dagen onthouding de kwaliteit van het zaad ten goede komt. Als die spermatozoïden na een paar dagen eenzame opsluiting eindelijk worden vrijgelaten, zijn ze niet meer te houden! Ze weten nog niet dat ze wellicht een nieuwe gevangenschap tegemoetgaan in een ander lichaam.

Om te voorkomen dat na al die voorzorgsmaatregelen het zaad zich per ongeluk in de richting vergist, blijf ik na het vrijen minutenlang roerloos op mijn rug liggen met mijn benen omhoog. Ik denk aan de woorden van een vriendin: 'Jij hebt geen rust in je kont. Vind je het gek dat een kind zich niet in jou kan nestelen.' Ze zou me eens moeten zien. Soms ga ik zelfs op mijn hoofd staan, zodat het zaad linea recta kan doorstromen naar de eindbestemming.

Weer ongesteld. De dag voor mijn menstruatie heb ik steevast barstende hoofdpijn, ben ik wankel en trek ik alles in twijfel. Dat is altijd al zo geweest. Toen ik mijn cyclus nog niet zo nauwlettend bijhield, nam ik die existentiële wanhoop heel serieus. Dan vond ik dat ik een puinhoop maakte van mijn leven, dat ik niets kon en niets waard was. De volgende dag haalde ik opgelucht adem als ik de oorzaak van mijn depressieve gemoedstoestand ontdekte.

Ik was dertien toen ik voor het eerst ongesteld werd, en ik had ernaar uitgekeken. Andere meisjes uit mijn klas die het al wel waren, hadden een aparte status, die ik benijdenswaardig vond. Zij waren vrouw. Maar toen het eenmaal zover was, begreep ik niet waarom ik hier nu zo naar had verlangd.

De eerste keer werd ik er letterlijk door geveld tijdens een zomervakantie in Frankrijk. Het personeel van de winkel waar ik omviel, belde onmiddellijk een ambulance, en als mijn moeder niet had ingegrepen, hadden ze me naar het ziekenhuis gebracht.

Ik was nog nooit eerder flauwgevallen. Het was een onwezenlijke ervaring. Eerst trekt het bloed weg uit je hoofd, dan krijg je het koud en word je slap in je benen, en het volgende moment ben je weg. Dat merk je pas als je weer bijkomt en op de grond blijkt te liggen. Uit de verte waaieren er flarden van geluid aan. Langzaam dringt tot je door dat het stemmen zijn, die 'wat ziet ze bleek' zeggen. Nog weer later begrijp je dat ze het over jou hebben. Dat is het moment dat je weer bij bent.

Het eerste jaar overkwam me dat regelmatig, een aantal keer zelfs midden in de klas. Het doorbrak de sleur van de schooldag en een van mijn klasgenootjes mocht me naar huis brengen. Maar het was geen onverdeeld genoegen, want zo'n flauwte werd gevolgd door hevige buikkrampen. Later leerde ik die te onderdrukken met adequate pijnstillers. Het was een hele kunst om die roze joekels door je keel te krijgen.

Toen ik op mijn zestiende aan de pil ging, verdwenen mijn menstruatieklachten. Maar de pil bracht weer nieuwe ongemakken met zich mee. Ik werd er dikker van en ik vergat hem. Van het paardenmiddel van de morning-after-pil werd je pas echt goed ziek. Na tien jaar pilgebruik ging het me zo tegenstaan dat ik het gehannes met condooms of een pessarium verkoos. Allemaal zinloos, blijkt achteraf. Al die menstruatie-ellende, hormonentroep in je lijf, gedoe om jezelf voor te behoeden. Alles vanuit die belachelijke angst om zwanger te worden. Terwijl er geen betrouwbaarder anticonceptie is dan mijn eigen lichaam!

In Honduras heb ik bij een cursus diepzeeduiken een prachtige dolfijn op iemands schouders gezien. Sindsdien blijf ik over een tatoeage fantaseren. Het heeft iets te maken met het uitblijven van mijn zwangerschap. Ik wil graag iets onomkeerbaars, iets wat ikzelf op het door mij gewenste moment op mijn lichaam kan laten aanbrengen. En waarvan ik dan zeker weet dat het blijft zitten.

Op een dag loop ik, na een saaie vergadering in Amsterdam, op de Wallen een tatoezaak binnen. Gefascineerd kijk ik naar alle foto's en tekeningen aan de muur. Het lijkt wel een volkenkundig museum. Overal afbeeldingen van getatoeëerde huiden. In de aangrenzende ruimte hoor ik een borend geluid, als bij de tandarts. Ik gluur om het hoekje: een flets geworden hart op een bovenarm wordt opnieuw felrood ingekleurd. De eigenaar van het hart geeft geen krimp.

Een zwaar getatoeëerde man vraagt of hij me kan helpen. Hij loopt in een korte broek met ontbloot bovenlijf. Geen plek op zijn huid is ongeverfd. Ik voel me bloot in mijn mantelpakje met zoveel onbedekte huid overal: mijn armen, mijn benen, mijn hals, helemaal leeg. Ik vraag verlegen of hij ook dolfijnen heeft, het lijkt opeens een kinderachtige vraag. Hij haalt een map vol dolfijnen te voorschijn. Grote dolfijnen, kleine dolfijnen, dolfijnen die in paren over elkaar heen buitelen, dolfijnen die door een ring duiken, dolfijnen die uit zee opspringen. Ik vraag of ik een voorbeeld mee naar huis mag nemen. Dan kan ik het aan mijn vriend laten zien, en er zelf nog even over nadenken.

De getatoeëerde man reageert verontwaardigd: 'Nee, natuurlijk mag dat niet. Wat dacht jij nou. Dit zijn unieke ontwerpen. Die kunnen we niet zomaar uit handen geven.' Ik twijfel even, maar dan wint mijn verlangen om een daad te stellen het van mijn aarzeling.

Ik kies een dolfijn die uit zee opspringt. Ik vind dolfijnen mooie dieren omdat ze beweeglijk zijn, sensueel, soepel, sterk en intelligent, ze schijnen zelfs humor te hebben. Ze leven in de zee, maar ze slagen er tegelijkertijd op eigen kracht in zich daaruit los te maken, omhoog te springen, om dan weer vrolijk terug te duiken in hun eigen element, de zee. Ik ben in zee ook in mijn element. Daar voel ik me in harmonie met mijn omgeving, daar voel ik dat ik leef. Ik vind niets heerlijker dan met een sterke branding mee te duiken en me te laten meeslepen door de kracht van de golven. Het is een aantrekkelijk idee om iets van die kracht met mij mee te dragen, op mijn eigen schouder.

Dat de tatoeage op mijn schouder moet, weet ik zeker. Een schouder blijkt echter een breed begrip. Als ik moet aangeven waar ik de dolfijn precies wil hebben, weet ik me geen raad. Opgelaten laat ik het aan de kenner over, die onmiddellijk de juiste positie bepaalt. Dan komt de keuze van de kleuren. Rood en zwart zijn mijn lievelingskleuren.

De tatoereus buldert: 'Rood en zwart? Een dolfijn is blauw of grijs, of blauwgrijs, of blauwgroen, maar niet rood met zwart!' Daar zit wat in. Gedwee kies ik blauwgroen, hoewel dat absoluut niet mijn kleur is. Ik heb geen enkel turquoise kledingstuk, maar daarover houd ik wijselijk mijn mond. Het zou zijn alsof je tegen een kunstenaar zegt: 'Jouw schilderij past niet bij de kleur van mijn bankstel.' Eigenlijk wil ik naar

huis, maar het is al te laat. Even later zit ik met ontbloot bovenlichaam naast het gebleekte hart. De pijn
valt mee. Het is bijna lekker. Na afloop gaat er een verband op.

Paul haalt het verband er 's avonds af en houdt een
extra spiegel bij. We zijn gespannen als bij de onthul-
ling van een door ons opgericht monument. De dolfijn is mooi, niet te groot, niet te klein, niet te grof,
maar fijntjes en elegant. Alleen de zee bevalt me niet.
De zee heeft vrijwel dezelfde kleur als de dolfijn. Daardoor lijkt het een verlengstuk van het dier. Alsof de
golven de dolfijn aan zijn staart naar beneden trekken.
Het dier wil wel, maar komt niet los van de zee. De
zwaartekracht van de zee wint het van de opwaartse
sprong van de dolfijn. Ik dacht dat ik me sterk en stoer
zou voelen met deze tatoeage, maar het tegendeel is
waar. Ik moest zo nodig iets onomkeerbaars, maar ik
wist helemaal niet waar ik aan begon. Ik heb er niet
goed over nagedacht hoe ik het precies wilde. Ik heb
veel te impulsief gehandeld. Misschien ben ik niet in
de wieg gelegd voor onherroepelijke daden.

We gaan de huisarts om advies vragen. Wellicht is er
een aantoonbare reden voor het uitblijven van een
zwangerschap. 'Jullie hebben dus een kinderwens?' in-
formeert de dokter meelevend. We antwoorden beves-
tigend, hoewel we er zelf nooit in die term over gedacht
hebben. We moeten vertellen hoe vaak we geslachtsge-

meenschap hebben. Hij raadt ons aan systematisch te gaan bijhouden wanneer ik in mijn vruchtbare dagen ben, met behulp van de temperatuurmethode. We krijgen een diagram mee waarop we met kruisjes een vruchtbaarheidscurve kunnen tekenen, zodat we precies kunnen zien wanneer de eisprong plaatsvindt. Dat is het moment waar alles om draait. In de dagen vlak voor, tijdens en vlak na, is de kans van slagen het grootst. Die moeten we vanaf nu niet meer onbenut voorbij laten gaan. Gericht vrijen, dat is het recept. Ook geeft hij ons de folder *Als zwanger worden moeilijk is*, om thuis na te lezen. En we moeten een hele reeks vruchtbaarheidsonderzoeken ondergaan in het ziekenhuis.

Ik stop de folder en de doorverwijzing naar het ziekenhuis diep weg in mijn tas. Op de terugweg naar huis voel ik een dodelijke vermoeidheid over me komen, die dagenlang bezit van me neemt. Het duurt bijna een week voor ik het kan opbrengen om de folder uit mijn tas op te vissen en het ziekenhuis te bellen voor een afspraak. Tot nu toe wilden we gewoon een kind, maar sinds dit doktersbezoek hebben we een Kinderwens. Het klinkt als een ziekte, die misschien wel ongeneeslijk is.

De funderingen van ons huis zijn ernstig aan het verzakken. Er ontstaan lekkages onder het huis. Nog een paar jaar en het moet tegen de vlakte. Sinds we dat weten, doen we er niets meer aan, het verval is toch niet meer tegen te houden. Je kunt het zien aan de muren waarop zich langzaam maar zeker scheuren beginnen af te tekenen. Je kunt het ook ruiken: als je thuiskomt, slaat de vochtige muffe geur je tegemoet. Laatst ontdekte ik schimmel onder onze matras.

Intussen regent het zwangerschappen en geboortes om ons heen. Ieder geboortekaartje, om van kraambezoeken maar niet te spreken, confronteert me met ons eigen onvermogen. Ik zou het liefst een sticker op de deur hangen met de tekst:

GEEN GEBOORTEKAARTJES ALSTUBLIEFT.

Je herkent ze meteen aan het kleine formaat en de postzegel met ooievaar, soms heeft het envelopje ook nog een weeïge pasteltint.

Vaak laat ik zo'n envelop tot 's avonds ongeopend liggen. Zeker op een werkdag kan ik dat niet gebruiken, dat ik de hele dag de tranen achter mijn ogen voel branden. Met tegenzin scheur ik de envelop uiteindelijk kapot en werp een vluchtige blik op de lieflijke illustratie of babyfoto. Dan vouw ik het kaartje open en lees snel de altijd weinig originele teksten. Links de archaïsche waarschuwing dat je moet bellen voor een afspraak. Alsof er in ons land, in deze tijd, iemand het nog in zijn hoofd haalt onaangekondigd bij een ander langs te komen, laat staan bij iemand die net is bevallen. Alsof we allemaal staan te springen om deelgenoot te worden van dat prille geluk. Rechts de triomfantelijke aankondiging: 'Trots geven we kennis van de geboorte van ons kind'. Alsof het hun verdienste is! De opscheppers. Het is gewoon dom geluk!

Ik moet me geweld aandoen om het enthousiasme op te brengen dat je in zo'n situatie aan je vrienden verplicht bent. Als ik me er met een kaartje van af kan maken, doe ik dat. Als ik op kraambezoek moet, stel ik het zo lang mogelijk uit, tot de eerste roze wolken weer zijn opgetrokken.

Toch zijn de baby's niet het ergste. Ik heb meer moeite met de aanwezigheid van een zwangere buik dan van een baby. Baby's zijn onschuldig, zij kunnen er ook niets aan doen, maar zwangere buiken zijn provocerend en aanstootgevend. Zwangere buiken confronteren je met een belofte die bij jou niet is ingelost. Hun volheid weerspiegelt jouw holheid. Hun trots jouw falen. Op kraambezoeken kom je altijd zwangere vrouwen tegen, vriendinnen van zwangerschapsgymnastiek die binnenkort ook gaan bevallen. En als ze niet zwanger zijn, dan zijn ze het wel geweest of kennen ze iemand die het is.

Het meest ergerniswekkende van kraambezoeken is het eendrachtige gemekker over zwangerschap en bevalling. Ik kan niet aan die gesprekken deelnemen, want mijn ervaring op dat terrein vormt geen feestelijke gespreksstof. Ik ben het schaap dat in de sloot is gegleden en er aan de verkeerde kant weer uit is gekrabbeld. Het water blijkt ineens veel dieper dan ik me ooit had gerealiseerd.

Vanaf een afstandje sta ik toe te kijken hoe de rest van de kudde vrolijk ronddartelt. Ik probeer me uit alle macht onzichtbaar te maken. Maar er is altijd wel een belangstellende schoonmoeder of zus die probeert me erbij te betrekken door te informeren of ik ook kinderen heb of ga krijgen. Ik heb al veel varianten geprobeerd, maar de goede bestaat niet zolang het zo pijnlijk is dat ik er eigenlijk niet goed over kan praten. Nee zeggen en over iets anders beginnen. Soms lukt het, andere keren nemen ze daar geen genoegen mee en willen ze het naadje van de kous weten. Zeggen dat ik ze wel wil, maar dat het bij ons niet zo makkelijk gaat. Ik weet al precies wat voor meewarige blik er dan volgt. Ik haat die blik. Laatst probeerde ik het eens lachend: 'Nee, wij zijn niet zo goed in het maken van kinderen.' Een man die deze opmerking opving, vroeg me of hij het dan even zou komen voordoen. Jodenmoppen zijn ook nooit leuk uit de mond van niet-joden.

Het begint tot me door te dringen dat er iets fundamenteel mis is met ons voortplantingsvermogen. Het is een allesondermijnend besef. Ik ben gewend de zaken min of meer onder controle te hebben. Als ik iets heel graag wil, zet ik me daar volledig voor in. En dan lukt het me over het algemeen.

Het halen van mijn rijbewijs is een van de dingen die me erg veel moeite hebben gekost. Ik begon lessen te nemen toen ik net uit huis was. Ik had een terug-kerende angstdroom waarin ik alleen op de achter-bank van een rijdende auto zat. Ik kon niet bij het stuur, en intussen denderde de auto met volle vaart over de snelweg. Het halen van mijn rijbewijs had voor mij meer dan een praktische betekenis. Het stond symbool voor de controle die ik over mijn eigen leven wilde kunnen uitoefenen. Ik heb ontelbaar veel rijles-sen gehad, maar bij het afrijden zakte ik keer op keer. Ik kon me er ontzettend boos over maken. De groot-ste idioten zaten achter het stuur. Als zij het konden, dan moest ik het ook kunnen. Ik zette door tot ik het roze papiertje in handen had.

Nu wind ik me erover op dat de grootste sukkels vanzelf kinderen krijgen, terwijl wij als een stel geflipte intellectuelen in bed metingen verrichten en grafiek-jes bijhouden. Maar ditmaal brengt mijn woede me geen steek verder, nu kom ik er niet met doorzet-tingsvermogen. Ik wil iets wat kennelijk niet lukt. En het is niet zomaar iets, het gaat om voortplanting, de essentie van het leven, het leven zelf. Dat ik me zo druk heb gemaakt om zoiets triviaals als autorijden. Met te-rugwerkende kracht had ik mijn rijbewijs zo ingele-verd voor een succesvolle zwangerschap! Ik wil graag een offer brengen, maar ik heb geen God tot wie ik me kan richten. Mensen die in God geloven, ontlenen daar steun aan in moeilijke tijden, Hij geeft ze hoop en vertrouwen, twee zaken die ik goed zou kunnen gebruiken op dit moment. Als het dan toch nog fout loopt, helpt Hij je aan de nodige berusting.

Mijn vader heeft wel een God. Met de jaren heeft zijn religieuze beleving zich verruimd. Voor hem is reïncarnatie een vanzelfsprekend gegeven, hij praat over een vorig leven als over een vorig huis. Lijden heeft voor hem een betekenis. Door te lijden kan een mens groeien. Hij staat op allerlei manieren in contact met het goddelijke. Zijn huidige geliefde is een medium; ze ontvangt en verspreidt boodschappen van boven. Beiden doen helende massages, waarbij ze positieve energie aan anderen doorgeven. Toen wij klein waren, ging hij nog gewoon naar de kerk. Mijn moeder ging nooit mee. Zij had van huis uit een hevige weerzin tegen alles wat maar naar religie riekte. Pas veel later bezocht ze op joodse feestdagen weleens een liberale synagoge, maar dat had meer te maken met lotsverbondenheid dan met geloof.

Mijn vader heeft het lange tijd volgehouden om te bidden voor de maaltijd. 'Dank u Heer voor deze heerlijke spijzen, amen,' mompelde hij dan vrijwel onverstaanbaar. Maar mijn moeder, die niet bepaald gelukkig was met het huisvrouwenbestaan, had wel goede oren en riep geïrriteerd: 'Je kunt mij beter bedanken, ík heb godverdomme gekookt!'

Wij kinderen mochten zelf kiezen. Zoals in wel meer opzichten bleek mijn moeders invloed dominant. Ik ging af en toe mee naar de kerk omdat ik hield van het zingen en van de verhalen, en om mijn vader een plezier te doen. Maar ik bad alleen als ik iets kwijt was of iets graag wilde hebben.

Het is alweer vier jaar geleden dat wij bedachten dat we wel een kind zouden willen. Vriendinnen die er een paar jaar terug nog niet aan moesten denken, worden nu allemaal zwanger. Ik misgun het ze niet, maar ik ben wel jaloers op ze. Het meest nog op de vanzelf-sprekendheid van hun zwangerschap. Ze vinden het zo normaal dat ze er gewoon over kunnen klagen. Ze hebben last van misselijkheid, zijn moe of maken zich zorgen.

Ook ben ik jaloers op ambitieuze vrouwen die geen kinderen willen en zich enthousiast op hun werk richten. Het zal hun een zorg zijn of ze wel of niet vruchtbaar zijn. De wereld wordt bevolkt door benijdens-waardige vrouwen: zwangere vrouwen en carrièrevrouwen. Ik bevind me in het niemandsland daartussen. Zwanger worden, waarom moet ik zo nodig? Het leven heeft nog wel meer te bieden dan snotneuzen en poepluiers. Ik zet in op het verkeerde paard. Ik wou dat ik wist dat er geen enkele hoop meer was. Dan kon ik doorgaan waar ik gebleven was voordat die stomme kinderwens ons leven kwam verzieken.

Maar nu moeten we het laten onderzoeken. Met de ziekenhuisonderzoeken voor de boeg is het einde voorlopig niet in zicht. Hoe lang gaat dit nog duren?

Heeft Paul, die zo weinig van problemen moet hebben, wel zo'n lange adem? Of krijg ik straks te horen dat hij me gaat verlaten omdat hij – ja sorry, heel lullig voor je – verliefd is geworden op een ander? Een ongecompliceerd, vrolijk meisje. Die niet dagen in de put zit na een geboortekaartje of een kraamvisite. Dat is een derde categorie vrouwen, de meest bedreigende: beschikbare, vruchtbare vrouwen, mogelijke doelwitten voor Pauls voortplantingsdrang. Ik houd hem met argusogen in de gaten en krijg een steeds grotere hekel aan mezelf. Zo wil ik niet zijn: zo gedeprimeerd, kleinzielig, jaloers, futloos en vol zelfmedelijden. Gefrustreerde dertiger zoekt levenslust. Maar waar? Hoe?

Misschien moet ik me afsluiten voor alles wat met zwangerschap en geboorte te maken heeft. Me volledig op mijn werk storten, waar ik wel controle over heb. Alleen nog maar omgaan met mensen die absoluut geen kinderen willen. Mannen, bij voorkeur. Me storten in het uitgaansleven. Baby's en kleine kinderen mijden en nooit meer op kraambezoek gaan. Het is een tip van Paul, die leeft volgens het credo: doe niets waar je geen zin in hebt. Maar dat zou me mijn relatie met vriendinnen en familieleden kunnen kosten. Wel een hoge prijs.

Het is praktisch niet te doen om de helft van de bevolking te ontlopen. Je komt ze werkelijk overal tegen. Met hun zwangere lijven versperren ze je de doorgang in de supermarkt. Met hun kinderwagens nemen ze de hele stoep in beslag. Of ze fietsen je zingend tegemoet met zo'n schattig kindje voorop. Op feestjes zie je ze ook steeds vaker: de vrouwen die liever Spa rood drinken of quasi-nonchalant hun baby meenemen, die tussendoor gevoed moet worden. Dan moet je vertederd toekijken naar dat gelurk aan die uitpuilende melktiet.

Zelfs op het werk ben je niet veilig: collega's beginnen ongegeneerd te kirren als ze het woord baby in de mond nemen, of komen hun nieuwste aanwinst showen. Nu staat er op kantoor gelukkig een computer om je achter te verschansen. Maar om je eigen vriendinnen en familieleden kun je niet heen. Die kun je moeilijk afschaffen omdat zij wel zwanger zijn en jij niet.

Dus zeg ik geen nee tegen een afspraak met een stralende Joyce, die zich tot voor kort nog in mijn kamp bevond. Ook zij raakte maar niet zwanger. Saamhorig kankerden we op al die saaie vrienden aan wie geen lol meer te beleven was sinds ze een gezinnetje hadden gesticht. Nu scheiden ook onze wegen. De zwangerschapshormonen lijken bij haar iedere herinnering aan moeilijker tijden te hebben uitgewist. Ze heeft het hartje al horen kloppen. Dat was een heel bijzonder moment, vertelt ze enthousiast.

'Ja, dat kan ik me voorstellen.' Ik probeer het welgemeend te laten klinken. Mijn stem klinkt stroef, ik klem me vast aan de barkruk, het gesprek valt dood.

Dit gaat niet goed. Ik moet me niet in mezelf terug-
trekken, ik moet niet luisteren naar de stilte in mijn
eigen buik. Ik moet er iets over zeggen. Dan komt het
misschien toch nog een beetje goed.

'Ik ben jaloers op je,' begin ik, maar ik heb meteen
weer spijt van mijn ontboezeming. Want nu moet ik
verder, maar ik kan nog niet de toon vinden om de
nieuwe afstand tussen haar en mij te overbruggen. Het
komt er veel zwaarder uit dan ik het had willen brengen. Ik breng haar in verlegenheid. Ik bederf de stemming.

Die avond huil ik mezelf in slaap. Ik lig met Paul en
Joyce in een tweepersoonsbed. Joyce ligt in het midden, Paul hitsig tegen haar aan en half over haar heen.
Ik besterf het van jaloezie en loop de kamer uit om
naar de wc te gaan. Ik hoor ze giechelen en voel me
buitengesloten. Als ik terugkom, staat Paul op om naar
de wc te gaan. Ik zie zijn erectie.

Ik besluit open kaart te spelen en vertel Joyce dat ik
jaloers ben en dat ik nu graag in het midden wil liggen. Zij zegt dat ze mijn eerlijkheid enorm waardeert,
maar ik hoor aan haar stem dat ze eigenlijk alleen in
Paul is geïnteresseerd. Op dat moment komt Paul terug die een snierende opmerking maakt over die eerlijkheid van mij. Ik voel me diep gekwetst en begrijp
dat hij wil dat ik verdwijn, zodat hij zijn gang kan gaan
met Joyce. Ik zeg dat ik best weg wil gaan, maar dat

hij zich dan wel moet realiseren dat het voorgoed is. Hij zegt dat hij dat prima vindt.

Ik roep verbijsterd: 'Dat meen je niet!'

'O ja hoor, dat meen ik wel,' zegt hij ijskoud. Ik ren het bed uit. Hij sluit de slaapkamerdeur achter me.

Ik sta naakt op de gang. Huilend – nog steeds of alweer? – word ik wakker. Paul trekt me tegen zich aan, strijkt me kalmerend over mijn rug en zegt troostend: 'Stil maar meisje, meisje toch, het komt allemaal wel goed.'

III HUWELIJK EN HUIS, *of hoe ik me levend begraaf in een provinciestad*

Paul moet klaarkomen in een potje. Hij mag het thuis doen, maar moet het zaad dan zo snel mogelijk naar het ziekenhuis komen brengen, en op lichaamstemperatuur houden. Hij koestert het plastic potje als een te jong geboren katje aan zijn borst. Hij geneert zich als hij het overhandigt. Het lijkt zo weinig als het in zo'n doorschijnend potje zit. Misschien leveren andere mannen wel veel meer in. Maar het wordt routineus in ontvangst genomen en tot zijn opluchting houdt niemand het met een smalende lach tegen het licht. De uitslag is snel bekend. Er zijn meer dan genoeg spermatozoïden, en op de kwaliteit of beweeglijkheid valt weinig aan te merken. Paul haalt opgelucht adem. Ik zet me schrap. Bij vrouwen is het veel minder eenvoudig. Er zijn talrijke mogelijke oorzaken. En lang niet altijd zijn die aantoonbaar.

Eerst krijg ik een inwendig onderzoek. Daar zie ik niet tegen op, dat heb ik al zo vaak gehad. Mijn baarmoeder ziet er goed uit en voelt normaal, verzekert de gynaecoloog me. Dat is mooi meegenomen. Stel je voor dat ze gezegd zouden hebben: 'Mevrouw, uw baarmoeder ziet er niet uit!' Zoiets hoor je toch liever niet. IJdelheid gaat diep.

Dan volgt de 'samenlevingstest'. Daarvoor moeten we op een door de artsen aangegeven tijdstip met elkaar naar bed. Een dag later onderzoeken ze of het zaad overleeft in het baarmoederslijm. Want sommige vrouwen schijnen het zaad van hun partner onmiddellijk bij binnenkomst te elimineren. Ik hoop dat dat bij mij niet zo is. Ik durf me die ochtend niet te wassen uit angst het bewijsmateriaal te vernietigen. Als ik mijn benen open voor de arts, ruik ik de intieme geur van onze 'samenleving', waar de gynaecoloog met zijn neus bovenop staat. Zou hij het een opwindende geur vinden, of een onsmakelijke? Of wordt een gynaecoloog immuun voor lichaamsgeuren? Hij vertrekt geen spier. Godzijdank blijkt uit de samenlevingstest dat er niets mis is met onze onderlinge chemie.

Vervolgens is er het vooralsnog laatste en meest onaangename onderzoek: er wordt een contrastvloeistof in mijn baarmoeder en eileiders gespoten die op het scherm zichtbaar maakt of de eileiders goed doorgankelijk zijn. Ik word gewaarschuwd dat deze test pijnlijk kan zijn, door de druk die de vloeistof kan uitoefenen op de eileiders. Ze hebben geen woord te veel gezegd. Het voelt alsof ik vanbinnen als een ballon word opgeblazen. Ik word steeds verder opgerekt, tot ik aangeef dat ik bijna uit elkaar knap. Gelukkig zakt de drukkende pijn weg zodra ze de toevoer van de vloeistof stopzetten. Ik heb gedurende het onderzoek steeds naar het scherm gekeken, maar de betekenis van de beelden dringt niet tot me door. Naderhand ben ik duizelig en misselijk. Het is maar goed dat Paul erbij is om de uitslag op te vangen: mijn linker eileider is goed doorgankelijk, mijn rechter niet. Dat halveert de kans op zwangerschap. Het is dus niet zo vreemd dat ik er lang over doe. Tegelijkertijd heeft de vorige zwangerschap – nu drie jaar geleden – ondanks de slechte afloop aangetoond dat ik niet onvruchtbaar ben. Er is dus geen reden om te wanhopen. Ik moet gewoon nog wat meer geduld hebben. Misschien niet eens zo lang meer. Het komt volgens de arts geregeld voor dat vrouwen na deze doorsmeerbeurt binnen drie maanden zwanger worden.

We doen alle dingen die dertigers doen. Het is beangstigend voorspelbaar en tegelijkertijd allemaal nieuw en opwindend voor ons. We gaan trouwen en een huis kopen. Vroeger dacht ik dat dit soort zaken was voorbehouden aan burgertrutten. Nu denk ik niet meer dat bekrompenheid en truttigheid gerelateerd is aan burgerlijke staat of huisvesting. Je vindt die eigenschappen in alle geledederen van de bevolking en zeker ook in alternatieve kringen. Vroeger zag ik het huwelijk als een onderdrukkend instituut, uitgevonden om de individuele vrijheid te beknotten. In wezen vind ik dat nog steeds, maar samenwonen is van hetzelfde laken een pak en dat doen we ook al jaren. En wonen is wonen, of je nu huur betaalt of hypotheek.

Door mijn relatie met Paul ben ik vrijheid en onafhankelijkheid anders gaan waarderen. Absolute vrijheid is waardeloos, want synoniem aan onverschilligheid. Ik vind Paul nog steeds de leukste van allemaal en ik breng mijn tijd het liefst met hem door. Wij zijn allang met elkaar verbonden, dus waarom niet in de echt? Trouwen is een openlijke liefdesbetuiging aan diegene met wie je graag samen wilt zijn. Het is ook een aanleiding voor een groot feest. We hebben geruime tijd geen feest meer gegeven. Nu zijn we tien jaar bij elkaar en dat willen we groots vieren. Juist omdat niemand het van ons verwacht, vinden we trouwen een mooie manier om dat te doen. En sommige mensen worden er zwanger van.

De trouwdag is nog niet in zicht, maar de test is onmiskenbaar positief. Ik ren ermee naar Paul, zodat hij het met eigen ogen kan vaststellen. Een blauwe stip is niet zwanger, twee blauwe stippen is wel zwanger, leg ik hem uit. Hij vertrouwt mijn uitleg niet en leest de gebruiksaanwijzing zelf, voor hij moet toegeven dat ik volgens deze test inderdaad zwanger ben. Maar hij laat zich van zijn nuchtere kant zien: eerst maar afwachten hoe het zich ontwikkelt.

Ik ben wel opgetogen. De belangrijkste drempel is genomen: de zwangerschap is een feit. Hier zijn we al zo lang mee bezig, en nu is het gelukt. Hoe het verder gaat, valt inderdaad te bezien. Maar ik wil mijn stemming niet laten bederven door de angst dat het mis zal gaan. Onbezorgd zwanger zal ik niet meer zijn, maar daarom mag ik er nog wel blij mee zijn. Ik zal geen kleertjes meer kopen, niet over namen nadenken, niet fantaseren over hoe het kind eruit zal zien en hoe het zal voelen om het in mijn armen te hebben. In verwachting zijn zonder er wat van te verwachten. Het klinkt als een onmogelijke tegenstelling.

Het huis dat we willen gaan kopen, staat in Haarlem. In Amsterdam is een huis met een tuin onbetaalbaar. Bovendien lijkt Haarlem ons met het oog op de toekomst leuker voor kinderen, met de duinen en de zee vlakbij. Het is een sfeervol huis met een tuin en een groot balkon met openslaande deuren, eind negentiende eeuw, glas-in-lood ramen, veel origineel houtwerk en ornamenten op de plafonds. De sfeer lijkt op die van ons huurhuis in de Pijp, maar alles is groter en ruimer en mooier. Het ruikt er naar hout en geluk.

Onze voornaamste twijfel is of het niet veel te groot is. Maar iedereen zegt dat te veel ruimte nooit een probleem is. Als we erdoorheen lopen, proberen we onze eigen indeling van dit huis te maken. Ik hoor me tegen Paul zeggen: 'Dit is een mooie kinderkamer.' Snel verbeter ik mezelf: 'Of studeerkamer.' Paul lacht en laat zijn hand zacht over mijn buik glijden.

Anna en haar dochter komen eten. Meestal neemt Anna een lekkere fles wijn mee. Nu heeft ze een plantje bij zich. Net als ik het wil wegzetten, zegt ze: 'Het heet slaapkamergeluk.' Ik schrik van die naam en kijk nog eens goed naar het plantje. Het is klein en teer. Normaal gesproken zou het onder mijn liefdeloze regime met een week of twee ter ziele zijn. Nu zal ik het een ereplek in ons huis geven en er goed voor zorgen. Het is vast een proeve van bekwaamheid. Als het blijft leven, zal het kind in mijn buik ook blijven leven.

Gezien mijn 'voorgeschiedenis' mag ik na zes weken een echo laten maken. Ze schijnen dan al hartactiviteit in de baarmoeder te kunnen vaststellen. Ik ga zenuwachtig naar het ziekenhuis, waar ik sinds alle tests kind aan huis begin te worden. Ik sta geregistreerd bij de afdeling gynaecologie en mag meteen doorlopen naar de echo-kamer. Terwijl ik op de bekende onderzoekstoel lig met mijn benen wijd, vraag ik me af hoe iemand heet die voor zijn beroep echo's maakt. Vast geen echoïst. Maar hoe dan wel? Ik durf het niet te vragen. Het laatste dat ik wil, is de eventuele echoïste uit haar concentratie brengen. Zij is naarstig op zoek naar een embryo in mijn baarmoeder. Het duurt wel erg lang. Zou ze onervaren zijn? Het lijkt me onmogelijk om te verdwalen in een baarmoeder. 'Echoïst', het zou toch een beetje raar staan op je visitekaartje. Of als je je moet voorstellen: hoe maakt u het, ik ben de echoïst van het Onze Lieve Vrouwe Gasthuis. Ze zegt nog steeds niets. Zou er iets mis zijn?

'Weet je zeker dat je zwanger bent?' vraagt ze eindelijk.

'De test was positief,' zeg ik, 'die tests zijn toch wel betrouwbaar?'

Ze knikt en beweegt nog een keer met het apparaat van links naar rechts en dan weer terug. Het ding heeft veel weg van een vibrator, maar wekt in het geheel geen lustgevoelens.

'Kijk, het baarmoederslijm is wel dikker dan normaal,' zegt de echoïste. 'Dat wijst op zwangerschapsactiviteit. Maar ik kan het embryo niet vinden. Misschien is de zwangerschap later ontstaan dan je denkt en is het daarom gewoon nog niet zichtbaar.' Ik kan me daar weinig bij voorstellen. Wij laten al geruime tijd niets meer aan het toeval over.

Ze geeft me een map mee met haar aantekeningen, die ik aan de gynaecoloog moet geven met wie ik hierna een afspraak heb. In de wachtkamer lees ik haar aantekeningen. Het is tenslotte mijn dossier. Toch heb ik er een spiekgevoel bij. Mijn blik stokt bij de woorden 'extra-uteriene graviditeit' met een vraagteken erachter. Ik heb Latijn gehad op school. Mijn hart slaat een slag over: ze vermoedt dat ik een buitenbaarmoederlijke zwangerschap heb.

De arts bekijkt de foto's en onderwerpt me nog eens aan een inwendig onderzoek. Weer voelt het allemaal normaal aan en ziet het er goed uit. Hij zegt verder niets en ik vraag ook niets. Deels om niet te laten merken dat ik in de papieren heb zitten loeren, deels van de zenuwen. Hij verwijst me opnieuw door naar het laboratorium waar ik bloed moet laten afnemen.

Als ik de volgende dag voor de uitslag bel, steekt de arts een haastige monoloog af. Er is nog niets met zekerheid te zeggen, maar er lijkt sprake te zijn van een zwangerschap die zich niet goed kan ontwikkelen. Wellicht is de vrucht blijven steken in mijn rechter eileider. Die is immers slecht doorgankelijk. Het probleem is dat een buitenbaarmoederlijke zwangerschap op de echo zelden goed te zien is. Ze willen niet in het wilde weg gaan opereren. Het is ook heel goed mogelijk dat de vrucht vanzelf door het lichaam wordt uitgedreven of afgebroken. Dus het beste is het nog een weekje aan te zien, in de hoop dat dat gebeurt, zodat operatief ingrijpen niet nodig is. Maar als ik hevige buikpijn of bloedingen krijg, moet ik meteen contact opnemen.

De arts hangt weer op, na me eerst nog een prettige dag te hebben gewenst. Wat heeft hij nu toch allemaal gezegd? Heb ik echt een buitenbaarmoederlijke zwangerschap? Ik besluit alleen de woorden 'er is nog niets met zekerheid te zeggen' serieus te nemen en ga verder met mijn werk alsof er niets aan de hand is. Ik laat me verdomme niet onderuithalen.

Pas 's avonds thuis, als ik zijn woorden moet herhalen voor Paul, begint het te dagen. Dat we ook deze zwangerschap wel kunnen vergeten, en dat ik met een beetje pech nog onder het mes moet ook. Ik zou bijna gaan geloven dat ik in mijn vorige leven een kindermoordenaar ben geweest.

Dit is een déjà vu-ervaring: een week moeten wachten terwijl we nu al weten dat het helemaal niet goed zit. Wachten is iets verschrikkelijks, vooral als je weet dat er hoe dan ook niets positiefs uit kan voortkomen. Maar in dit geval voel ik niet de neiging aan te dringen op een ziekenhuisopname, want ik hoop dat een operatie niet nodig zal zijn.

Godzijdank heb ik het erg druk op mijn werk en slaag ik er af en toe in aan iets anders te denken. Na een paar dagen krijg ik buikpijn. In de wachtkamer in het ziekenhuis kom ik een hoogzwangere Maria tegen. Paul is in de beginperiode van onze verhouding met haar naar bed geweest. We hadden nog geen gedragscodes ontwikkeld over intieme omgang met derden. Voordat ik met Paul ging, had ik veel vriendjes gehad en ik was toen nooit monogaam geweest. Ik wilde uit het leven halen wat erin zat. Maar Paul was van de seriële monogamie. Hij kwam dus schuldbewust bij me langs en maakte een pathetische knieval voor me terwijl hij bekende: 'Ik ben vreemdgegaan.'

Ik had die uitdrukking nog nooit gebezigd of gehoord met betrekking tot mezelf. Ik vond het iets voor lang getrouwde echtparen en had de neiging in lachen uit te barsten, maar tegelijkertijd voelde ik een hevige steek van jaloezie. Ik was in geen jaren zo verliefd geweest en meende zeker te weten dat het wederzijds was. Paul had officieel gevraagd of ik verkering met hem wilde, ook al zo'n eigenaardig oubollig woord. Ik had eerst gedacht dat hij het met ironie gebruikte, en toen dat niet zo bleek te zijn, ontroerde het me. Om mij had hij zijn vorige relatie beëindigd. Nu kreeg ik met terugwerkende kracht spijt van mijn onvoorwaardelijke overgave aan hem. Misschien was voor hem de lol eraf, nu de verovering geslaagd was. Ik ken de kick van het veroveren maar al te goed. Alleen had ik gedacht dat het bij ons veel verder ging dan dat. Misschien had ik me vergist. Misschien werd ik nu al ingeruild.

'Ben je verliefd op haar?' vroeg ik benauwd. Nee, verliefd was hij niet op haar, wel op mij. Dat was een opluchting. Anderzijds krenkte het mij in mijn eer. Ik dacht dat ík in liefdeszaken de frivole partij was. Deze omkering van zaken beviel me helemaal niet, maar ik wilde me niet laten kennen en zei zakelijk: 'Ik vind het prima als jij met anderen naar bed gaat, als je maar niet raar staat te kijken als ik hetzelfde doe.' Hij gruwde zichtbaar van die gedachte en riep uit de grond van zijn hart: 'Nee, alsjeblieft niet!' De wanhoop in zijn stem amuseerde me. Blijkbaar waren we aan elkaar gewaagd.

Een maand later gebeurde er iets waardoor mijn jaloezie opnieuw in alle hevigheid oplaaide. Maria dacht dat ze zwanger was van Paul. Als dat zo was, wilde ze het houden, want ze wilde heel graag een kind, het liefst met maar desnoods zonder partner. Paul wist niet wat hij ervan moest denken. Hij was vier jaar ouder dan ik en wilde wel kinderen, al hoefde het niet op stel en sprong. Ik was tweeëntwintig en nog lang niet aan kinderen toe. Maar als Maria een kind van hem zou krijgen, zou ik Paul vast kwijtraken. Het zou een verbond tussen hen creëren waar ik buiten zou staan. Ik kreeg al buikpijn bij de gedachte. Tot haar teleurstelling en mijn opluchting bleek ze uiteindelijk niet zwanger. Daarna beloofden Paul en ik elkaar trouw. Om jaloezie en andere narigheid te voorkomen.

Nu is het tien jaar later en heeft Maria eindelijk de felbegeerde status bereikt. Ze is zwanger van een tweeling. Uit de onderzoeken blijkt echter dat er iets niet goed is. Misschien zullen de kinderen in hun groei of hun ontwikkeling achterblijven. Het kan ook zijn dat ze niets mankeren. De onzekerheid valt haar zwaar. De man van wie ze zwanger is, laat het afweten. Door omstandigheden en door alle zorgen en ongemakken van haar zwangerschap kan ze niet werken. Ze woont met een uitkering op een kleine bovenetage in Amsterdam. Mijn aanvankelijke afgunst bij het zien van haar buik ebt weg.

Ik vertel haar van mijn situatie: eerst miskraam van een tweeling en nu buitenbaarmoederlijke zwangerschap. Maar nog steeds met Paul, leuk werk, fijn huis. We nemen alles in een paar minuten door, als oude vriendinnen die aan één enkel woord genoeg hebben. Als mijn naam wordt omgeroepen, omhelzen we elkaar en wensen elkaar sterkte. Een vreemde lotsverbondenheid. We hebben niet alleen dezelfde man gedeeld, we maken ons ook allebei zorgen over wat zich in ons lichaam afspeelt.

Mannen kunnen zich natuurlijk ook zorgen maken over hun voortplanting, maar hun zorgen bevinden zich op een ander, minder intrinsiek niveau. Hun fysieke aandeel bestaat uit een zaadlozing. Daarmee zijn ze letterlijk klaar. Hun stemmingen worden niet bepaald door hormonen die ten dienste van de reproductie staan. Zij hebben geen menstruatiepijn, geen zwangerschapsklachten, geen barenspijn. Zij houden al die tijd en energie over om zich te richten op dingen buiten zichzelf. Alleen als ze ziek zijn, zit hun lichaam ze in de weg.

Vrouwen hebben niet minder kans op ziektes dan mannen. Wel zijn ze zo'n vijf dagen per maand, dus zestig dagen per jaar ongesteld. En dat gedurende ten minste dertig jaar, wat neerkomt op achttienhonderd dagen, in totaal vijf jaar! Stel, je krijgt twee of drie kinderen, dan kun je daar nog zo weer twee jaar aan zwangerschapsperikelen bij optellen. Vrouwen worden dus algauw zeven jaar van hun leven afgeleid door hun eigen lichaam. En dan hebben we het nog over de ideale situatie waarin alles voorspoedig verloopt. 'Je krijgt er zoveel voor terug,' zeggen zij die het kunnen weten.

De gynaecoloog meent dat de pijn in mijn buik waarschijnlijk komt door het aanmaken van zwangerschapshormoon. Want de pijn zit links en volgens hem zit de zwangerschap rechts. Dus vindt hij het niet zorgwekkend.

Als ik een paar dagen later op mijn fiets zit, op weg naar het station, krimp ik ineen door een dolkstoot links in mijn onderbuik. Ik rij zo goed en kwaad als het gaat terug naar huis om het ziekenhuis te bellen. Ik moet onmiddellijk komen, zeggen ze. Ze hangen weer op. Ik bel een taxi, maar die kan er pas over een halfuur zijn. Op de fiets ben ik er normaal gesproken in vijf minuten. Hoe lang ik erover doe, weet ik niet. Ik kan niet op het zadel zitten, dus ik fiets vooroverhangend. Als ik bij het ziekenhuis aankom, ben ik er zichtbaar belabberd aan toe, want binnen de kortste keren lig ik in een bed. Of misschien lijkt dat ook maar zo, ik heb geen benul van tijd, ik ben half verdoofd door de pijn. Soms weet ik weer even waar ik ben. Er wordt me gevraagd of ik iemand moet waarschuwen. Ik herinner me het bestaan van Paul op zijn werk in Den Haag. Het nummer wordt voor me gedraaid en godzijdank begrijpt hij dat hij meteen moet komen, al zal het nog zeker anderhalf uur duren voor hij er is.

Ik krijg een pijnstiller, maar die brengt nog geen verlichting. Ik heb al mijn kracht nodig om deze pijn te verdragen. Ik weet niet hoe ik het beste kan liggen, alle houdingen zijn even onmogelijk, hoe lang gaat dit nog duren, waarom doet niemand iets.

Dan is Paul er ineens. Hij gaat naast mijn bed zitten en houdt mijn hand vast, nu ben ik niet meer alleen. Een nieuwe aanval doet alles om me heen vervagen. Ik zie een dokter, ik hoor 'spoedgeval' en het volgende moment word ik de operatiekamer binnengereden. Iemand anders die eigenlijk aan de beurt was, wordt van de operatietafel gehaald: ik heb voorrang. Terdoodveroordeelden worden soms vlak voor de executie weer teruggebracht naar hun cel. Duizend doden sterven. Denken aan de kogel. Zou bij mij de bom al gebarsten zijn? Van een buitenbaarmoederlijke zwangerschap kan je eileider uit elkaar knallen. Je kunt eraan doodbloeden.

Als ik bijkom, lig ik in een ruimte tussen allemaal andere mensen die net een operatie achter de rug hebben. Dit moet de uitslaapkamer zijn, al stel je je bij dit woord iets gerieflijkers voor. Hier wordt gekreund, gesteund en gehuild. Twee zusters praten hardop over een patiënte die ze een zeur vinden. Het lijkt alsof mijn zintuigen overgevoelig zijn geworden. De geluiden dringen zich met geweld aan me op, alles is me te veel, het licht, het geluid, de aanblik van de andere patiënten.

En wat hebben ze met mijn buik gedaan? Hij staat helemaal bol. Ik wou dat ze allemaal hun mond hielden. Ik probeer een van de verpleegsters te roepen, ik wil een pijnstiller, maar mijn keel is pijnlijk en rauw en mijn stem geeft geen geluid. Dat verschijnsel ken ik alleen uit nachtmerries, dat je om hulp probeert te roepen en dat niemand je hoort. Waarom komt niemand bij me kijken? Waar is Paul?

Paul komt als ik allang weer op de zaal lig. Hij was op verzoek van de verpleging even naar huis gegaan, omdat ik moest bijkomen in de uitslaapkamer. Ik begrijp niet dat ze je geliefde naar huis sturen terwijl hij je hand moet vasthouden. En dat die slappeling zich gewoon laat wegsturen. Intussen heb ik een prik tegen de pijn gekregen. De dokter vertelt dat de operatie eileidersparend is geweest en dat ze de vrucht laparoscopisch uit mijn eileider hebben verwijderd. 'We hebben de vrucht met een incisie geboren laten worden.' Alsof hij met blijdschap kennisgeeft van de geboorte van ons kind. Heb ik iets gemist? Ik zal toch niet maanden in coma hebben gelegen en intussen bevallen zijn van een gezonde baby? Ik vraag of de arts het nog een keer wil uitleggen. Dan begrijp ik dat ze mijn eileider er niet hebben uitgehaald en dat ze maar een paar kleine sneetjes in mijn buik hebben hoeven maken. Na een paar dagen zal mijn buik, die met gas is opgeblazen ter wille van het zicht en de beweegruimte, weer plat zijn. En de littekens zullen op den duur nauwelijks meer te zien zijn.

Eén ding had hen wel verbaasd: de zwangerschap zat niet in de rechter eileider, zoals ze verwacht hadden, maar in de linker. Ik vind het niet zo verrassend: ik had de pijn steeds links gevoeld. Toch schrik ik heel erg. Mijn linker eileider was mijn enige goede. Als ik naar de consequenties vraag, trekt de arts een serieus gezicht. Na het goede nieuws volgt nu het slechte: 'Uw kansen op een goede zwangerschap zijn aanzienlijk afgenomen. De rechter eileider was al niet goed doorgankelijk. Het littekenweefsel dat door deze operatie zal ontstaan, vermindert nu ook de doorgankelijkheid van de linker eileider. Als u opnieuw zwanger wordt, hebt u een toegenomen kans op nog een buitenbaarmoederlijke zwangerschap.'

Weer thuis valt mijn oog op ons slaapkamergeluk. Het verraderlijke plantje staat er stralend bij, alsof er niets gebeurd is. Ik wil heel hard huilen, maar dat kan niet, iedere beweging doet zeer aan mijn buik. Ik kan alleen maar stille tranen plengen, maar dat lucht niet op. Joyce komt op bezoek en neemt plaats op een stoel naast mijn bed. Omdat ik me nog niet kan oprichten, kijk ik pal uit op haar hoogzwangere buik, die ze voor de gelegenheid vast liever thuis had gelaten. Het lijkt wel een komische scène uit een smakeloze B-film. Maar lachen kan ik ook al niet.

Ons nieuwe huis moet verbouwd worden. Over een maand gaan we trouwen en het huis inwijden met een huwelijksdiner. Ik probeer terug te halen waarom we dit ook weer doen allemaal, trouwen en naar Haarlem verhuizen, naar dat veel te grote, nadrukkelijk lege huis. Ik wil alleen maar diep wegkruipen onder de dekens en slapen. De leegte in mijn buik lijkt bezit te hebben genomen van mijn hele wezen: ik voel helemaal niets, denk niets, wil niets.

Alleen 's ochtends, als ik wakker word, als de dag nog geen eeltlaag op mijn ziel heeft gevormd, voel ik me naakt en poreus en doet zelfs ademhalen pijn. Ik spreek mezelf toe: kom op, ga je wassen, ga je aankleden, aan de slag. Eigenlijk moet ik nog oppassen met tillen en het rustig aan doen, maar als ik me eenmaal over mijn apathie heen heb gezet, ben ik niet meer te houden. Behang en vloerbedekking lostrekken, verf afbranden, spijkertjes verwijderen, schuren, schilderen, vrienden ronselen en van eten en drinken voorzien, loodgieter regelen, opruimen, dozen inpakken en verhuizers bespreken. We doen alles in de avonden en de weekenden, want overdag moet er gewoon gewerkt worden.

Intussen moet de trouwerij worden voorbereid. Overleg met Isabel en Natascha, onze toegewijde ceremoniemeesteressen, catering en band regelen, uitnodigingen versturen. Een stekende buikpijn herinnert me geregeld aan de recente operatie, maar ik wil er niets van weten. Ik vind mijn lichaam een onbetrouwbaar instrument. Het breekt alleen maar af, ik wil opbouwen. Er komt veel uit mijn handen. Ik doe alles mechanisch en wezenloos. Soms heb ik ineens een onbedaarlijke huilbui. 'Ik ben zó moe,' klaag ik dan tegen Paul, 'ik kán niet meer.' Maar ook hij is met zijn hoofd bij de verbouwing. Er moet nog zoveel gebeuren voor de bruiloft. We gaan dus weer verder waar we gebleven waren.

Natascha heeft met haar vriend ook net een huis gekocht in Haarlem. Terwijl wij staan te schilderen, komen ze langs, na het ondertekenen van de koopakte van hun huis. Natascha neemt me apart. Ze moet me iets vertellen, fluistert ze samenzweerderig. Ze vertrouwt me bloednerveus toe dat ze stapelverliefd is op een ander. Ze is net een snuivend paard, dat op het punt staat om los te breken en er in galop vandoor te gaan. Ze wil helemaal niet in Haarlem wonen, ze wil niet trouwen met deze man. Van de gedachte dat ze in dat huis met hem een gezin moet gaan stichten krijgt ze het doodsbenauwd. Ze wil zich niet levend begraven, ze wil weg, haar werk opgeven, haar relatie verbreken, emigreren met haar nieuwe vlam.

'Maar waarom heb je dat huis dan net gekocht?' vraag ik.

'Ja, dat vraag ik me ook af. Toen ik mijn handtekening zette, wist ik zeker dat ik het niet had moeten doen. Het voelde helemaal verkeerd. Ik moet het hem vertellen, ik moet het terugdraaien, dit kan niet doorgaan.'

Een paar dagen later komt ze vertellen dat ze het heeft uitgemaakt. Ze gaan het huis weer doorverkopen, ze heeft haar baan opgezegd en ze gaat binnenkort naar het buitenland. Ze lijkt wel een ander mens. Ze is één bonk passie en energie. Ik kijk naar haar met een mengeling van verwondering en jaloezie. Dat je je in een paar dagen tijd zo van je keurslijf kunt bevrijden! Ik wou dat ik alles achter me kon laten. Maar wat ik het liefst achter me wil laten, is de zeurende pijn in mijn buik, mijn vermoeidheid en mijn onvermogen om te genieten. Ik zou ook zo willen stralen, verliefd zijn, losraken, leven. Maar ik schiet niets op met een andere vriend, een andere baan, een ander huis of een ander land. Mijn keurslijf kan ik niet afleggen, want het is mijn eigen lijf dat me nu voor de tweede keer zo'n gemene streek heeft geleverd. Mijn vijand bevindt zich in eigen gelederen en ondermijnt mijn levensgeluk van binnenuit.

'Hoe gaat het eigenlijk met jou?' vraagt Natascha ineens bezorgd, als ze mijn lege blik ziet.

'Ik ga trouwen en me levend begraven in deze provinciestad.'

Eén van onze getuigen neemt zijn rol heel serieus. Hij wil wel getuigen bij ons huwelijk, maar dan wil hij er zeker van zijn dat onze relatie goed is. Hij weet van onze problemen met de zwangerschappen. Hij kent mijn klachten over Paul uit de periode na de miskraam. Hij vindt dat ik er doodongelukkig uitzie en heeft de indruk dat Paul me ook nu onvoldoende steunt en ontziet. We zouden samen in therapie moeten, volgens hem. We kunnen niet zomaar over dit soort drama's heen stappen door ons kapot te werken en net te doen alsof er niets aan de hand is.

Maar dat is juist precies wat ik nu wél wil. Ik wil er niet bij stilstaan dat een normale zwangerschap steeds onmogelijker dreigt te worden. Ik vind die gedachte zo onverteerbaar dat ik me er nog niet tegen opgewassen voel. Eerst moet die buikpijn maar eens over zijn, eerst het huis verbouwd, eerst dat huwelijk achter de rug. Ik heb geen zin om over onze relatie te praten. Ik ben allang blij dat ik me staande houd. En dat onze vrienden er voor ons zijn met praktische, concrete hulp bij de verbouwing van het huis en het organiseren van het huwelijk. En dat Paul zo handig is dat hijzelf een prachtige houten vloer kan leggen en muren kan stuken. De getuige kijkt bedenkelijk.

Met onze relatie zit het wel goed, zeg ik geruststellend maar zonder veel overtuiging. We zijn nu al tien jaar bij elkaar, meestal gelukkig en soms ongelukkig, zoals nu. Is dat een reden om niet te trouwen? De getuige kijkt nog bedenkelijker. Ik vind het zelf ook niet zo romantisch klinken.

Toch hebben we allebei wel iets geleerd sinds het vorige echec. Paul weet nu dat hij een hoop gezeur van mij kan voorkomen door niet meer in crisistijd in de kroeg te blijven hangen. Ik weet nu dat Paul in noodsituaties niet aanvoelt wat ik nodig heb. Dus moet ik daar zelf heel duidelijk in zijn. Toen ik na de operatie uit het ziekenhuis werd ontslagen, heb ik hem opgedragen de eerste paar dagen thuis te blijven en me te verzorgen. Ik heb hem uitgelegd dat hij steeds even bij me moest komen kijken, lieve dingen tegen me zeggen en mijn hand vasthouden. Toen hij niet vaak genoeg kwam, regelde ik een bel naast mijn bed waarmee ik hem kon ontbieden. Daarna waren we allebei tevreden. Ik omdat ik kreeg wat ik nodig had en hij omdat ik niet boos was en niet zeurde.

Natuurlijk zou ik liever hebben dat Paul deze dingen uit zichzelf bedacht. Als je je zwak voelt, is het zwaar om ook nog zelf de regie te moeten blijven voeren, maar het is niet anders. Paul heeft andere eigenschappen die hiertegen opwegen. Zijn humor en relativeringsvermogen zijn ook in moeilijke tijden onverwoestbaar. Daar kan ik me aan optrekken. Een mens heeft niet alleen steun nodig, maar ook afleiding. Paul geeft me de kans niet om bij de pakken neer te gaan zitten. En ook je huis schilderen kan heel therapeutisch werken. De getuige heeft er een hard hoofd in. Maar hij geeft ons het voordeel van de twijfel.

Op de trouwdag zie ik er prachtig uit. Ik heb een felrode jurk aan met blote schouders, een strak lijfje en een wijd geplooide rok die van voren kort is en van achteren lang. Ik heb de jurk tweemaal moeten laten innemen. Eerst omdat hij was afgestemd op een zwangere buik en toen nog eens omdat ik door het gestress van de afgelopen maanden ben blijven afvallen tot ver onder mijn gebruikelijke gewicht. Maar deze ochtend ben ik wakker geworden zonder pijn, zonder vermoeidheid, zonder tranen. Ik voel me als een jarig kind, prettig gespannen over wat de dag zal brengen.

Isabel en Natascha zoemen als zorgzame bijen om me heen. Ze helpen me in mijn sexy lingerie en vegen met een natte vinger op het laatste moment nog wat verdwaalde make-up van mijn gezicht. Mijn moeder loopt zenuwachtig te friemelen aan het met bloemen doorvlochten haar van onze nichtjes en bruidsmeisjes, die er in hun witte jurkjes onwaarschijnlijk schattig uitzien.

In voor- en tegenspoed, beloven we elkaar vandaag plechtig. Ineens raakt die versleten uitdrukking me diep. Paul beperkt zich niet tot het gebruikelijke 'ja', maar zegt nadrukkelijk: 'Een volmondig ja.' Ik kijk hem even van opzij aan om te zien of hij de draak steekt met de situatie, maar hij meent het. Ik schiet vol. Ik had nooit gedacht dat wij deze plechtigheid allebei zo serieus zouden nemen. Mijn hand trilt als Paul de ring aan mijn vinger schuift: een vrolijke ring in drie kleuren goud met in het midden een diamantje.

Als we het stadhuis uit lopen, krijgen we een regen van rijst over ons heen. Ik laat de korrels die op mijn haar en mijn kleren vallen zo lang mogelijk zitten om hun magische kracht goed op me te laten inwerken.

Mijn moeder heeft bij haar thuis een receptie georganiseerd. Mijn oudoom, een gepensioneerde banketbakker, heeft een indrukwekkende bruidstaart gemaakt. Mijn vader houdt een liefdevolle toespraak voordat de champagne knalt. Zelf zijn mijn ouders al jarenlang gescheiden en nooit officieel hertrouwd. Nu staan ze ontroerd naast elkaar.

Bij het diner arriveert de catering veel te laat, zodat iedereen al flink aangeschoten is voordat we beginnen te eten. Tijdens het feest treedt Pauls familie op met een prachtig woest lied. Zijn broer ragt uitzinnig op de gitaar. Dick beent schreeuwend en met zijn armen wild zwaaiend over het podium. Zijn slepende voet vormt nog de enige zichtbare erfenis van zijn hersenbloeding, maar hier lijkt het een bewuste act. Een breed grijnzende Irene en haar nog mongoolsere verloofde begeleiden het muzikale geweld met een beschaafd maar a-ritmisch tamboerijngerinkel. Geertje, die vroeger lerares was, doet een vergeefse poging de tekst verstaanbaar te articuleren. Intussen ontfermt Isabel zich over de nog arriverende gasten en de cadeaus. Ze loopt nerveus heen en weer alsof het haar eigen bruiloft is.

Later op de avond speelt er een geweldige rock-'n-rollband. Tot mijn genoegen zie ik dat Natascha schaamteloos aan het flirten is met de zanger van de band. Dit is precies wat ik ervan hoopte: geen avond vol brave sketches, maar een echt feest met muziek,

gesjans en gedans. Ik dans zelf ook de hele avond, zonder moe te worden. Paul kijkt me verliefd aan. De dolfijn op mijn blote schouder springt vrolijk met ons
mee. Hoog, Sammie, spring omhoog, Sammie.

IV ISABEL IS ZWANGER, *of hoe ik verwijderd raak van mijn beste vriendin*

Isabel is zwanger. Ineens begrijp ik waarom ze zo serieus had aangekondigd dat ze me iets wilde vertellen. Bij ieder ander had ik bij zo'n opmerking meteen onraad geroken, maar bij Isabel niet. Het is nog niet zo lang geleden abrupt uitgegaan met Vladimir. Ze was er kapot van.

Ik weet niet hoe ik moet reageren. Ik stamel wat felicitaties, of is het een ongelukje? Nee, het is gewenst. Ze was van de zomer met haar nieuwe liefde op vakantie en toen besloten ze dat ze wel een kind wilden. Het was meteen raak. Ze is er wat door overdonderd, zegt ze, ze had niet gedacht dat het zo snel zou gaan.

Ik ben stomverbaasd. Ik ken Isabel al langer dan ik Paul ken. Onze vriendschap begon als een soort verliefdheid. Als ik lesbisch was geweest, of zij een jongen, dan had zij de liefde van mijn leven kunnen zijn. Wij hebben dezelfde achtergrond, dezelfde interesses, dezelfde humor. Ik ken al haar liefdes en liefdesproblemen. Ik ken haar hele familie, zij de mijne. We bespreken alles wat ertoe doet. Dacht ik.

Ik wist helemaal niet dat ze nu al een kind wilde. Ze had het er nooit over. Niet dat ze geen kinderen wilde, maar het was iets voor later. Ze is ook een paar jaar jonger dan ik. Ik had problemen met het krijgen van kinderen, zij had problemen met haar relaties. Zij viel altijd op mannen die haar ongelukkig maakten. Aardige mannen vond ze saai, die vervelden haar al snel. Noam leek mij een aardige man. Ik wist helemaal niet dat ze haar relatie met hem zo ernstig nam.

Het lijkt wel liefdesverdriet. Ik voel me verraden en buitengesloten. Aan de kant gezet. Boos. Jaloers. Op Noam, met wie ze zo onverwacht intiem is, en op de zwangerschap die zij in de schoot geworpen krijgt. Het is nu vijf jaar geleden dat Paul en ik bedachten dat we kinderen wilden. Vijf jaar is veel tijd. En Isabel wordt zomaar patsboem zwanger.

Er volgen pijnlijke telefoongesprekken waarin we erover proberen te praten. Ik ben niet de enige die zich in de steek gelaten voelt. Zij voelt zich gekwetst door mijn verbijsterde reactie op het nieuws van haar zwangerschap. Waarom is het zo verbazingwekkend dat ze zwanger is? Mag zij dat soms niet zijn? Ze had het best willen vertellen, ook al vond ze dat niet makkelijk. Maar wanneer en hoe had ze dat moeten doen? Ik was voortdurend met mezelf bezig. Ik had het haar toch ook kunnen vragen? Ik had het toch zelf kunnen zien aankomen, als ik mijn ogen open had gehad. Zij was al eenendertig, ze had haar studie net afgerond. Dan is dit toch niet zo'n vreemde stap?

Ik verwijt haar dat ze mij niets heeft verteld. Als ze mij alleen maar vertelt over haar liefdesverdriet, kan ik toch niet ruiken dat ze intussen met de volgende vent alweer drie stappen in zevenmijlslaarzen verder is? Ze had mij hierop moeten voorbereiden. Juist omdat ze wist hoe gevoelig dit onderwerp voor mij ligt. Of had ze me soms willen sparen? Dat zou helemaal onvergeeflijk zijn. Echte vrienden spaar je niet.

Ter ere van Isabels afstuderen eten we met een groep vrienden in een Amsterdams café. Isabel ontloopt mij. Het huilen staat me nader dan het lachen. Ik kom naast Noam te zitten. Ik moet me vermannen om hem te feliciteren met Isabels zwangerschap. 'Dat had je niet verwacht, hè?' reageert hij lachend. De triomf die ik in zijn stem hoor doorklinken, doet bij mij alle stoppen doorslaan. Ik stuif naar buiten en barst in tranen uit. Noam komt achter me aan en vraagt wat er aan de hand is. Ik kom weer tot mezelf en zeg hem dat het bericht van de zwangerschap me inderdaad heeft overvallen. Dat ik er geen idee van had gehad dat zij samen een kind wilden.

'Isabel en ik vonden het iets tussen ons. Het is toch iets intiems, dat je niet met zomaar iedereen wilt delen,' antwoordt Noam. Met deze reactie gooit hij olie op het vuur. Ik kook nu vanbinnen. Wie denkt hij wel niet dat hij is met zijn 'Isabel en ik'? Hij komt verdomme net kijken! Isabel is al vijftien jaar de vriendin met wie ik lief en leed deel! Hoe durft hij mij te reduceren tot 'zomaar iedereen'! Ik zou hem wel een dreun willen verkopen, maar in plaats daarvan klap ik dicht. Zwijgend gaan we weer naar binnen.

Ik heb Noam ook beledigd, begrijp ik uit het zoveelste moeizame telefoongesprek met Isabel. We hadden elkaar toch regelmatig ontmoet, we hadden samen gegeten en gelachen. Ze dachten allebei dat ik hem ook aardig vond. En nu blijkt dat ik hem als een onbeduidend tussenstation heb beschouwd, een tijdelijk vriendje voor de troost.

Zij had zelf die indruk gewekt, werp ik haar voor de voeten. Ze praatte niet over hem als over de nieuwe liefde van haar leven. Ze woonde niet met hem samen. Hoe moest ik weten dat het zo serieus was?

Haar verwijt dat ik zo met mezelf bezig was dat ik geen oog heb gehad voor haar, is wel hard aangekomen. Want ze heeft gelijk. Sinds mijn buitenbaarmoederlijke zwangerschap heb ik me nauwelijks in haar verdiept. Eerst was er de operatie geweest, toen de verhuizing, toen de verbouwing en tenslotte de trouwerij. Isabel kwam op ziekenbezoek, hielp met schilderen en was ceremoniemeesteres. Het is te veel eenrichtingsverkeer geweest.

Haar andere verwijt slaat ook de spijker op zijn kop. Zij mag van mij helemaal nog geen kind. Ik had eerst aan de beurt moeten zijn. Tegelijkertijd was ook prima geweest. Maar dit kan ik niet hebben. Ik vind de aanblik van een onbekende zwangere vrouw al moeilijk. Van andere vriendinnen vind ik het ook niet te genieten. Maar van mijn beste vriendin is het onverteerbaar. Haar zwangerschap is de spiegel van mijn verlies. Ook als ze me er wel op had voorbereid, had ik het uit mijn tenen moeten halen om met haar mee te leven. Nu ze dat niet heeft gedaan, deelt ze deze intieme ervaring maar met Noam. Per slot is het iets tussen hen beiden.

Ooit had ik een romantische voorstelling van de ideale liefdesrelatie: dat je alles met elkaar moest kunnen delen, dat je elkaar zonder woorden kon verstaan, dat je met lichaam en ziel met elkaar kon versmelten. Maar toen was ik nog een kind. Ik heb allang geaccepteerd dat je niet alles met één persoon kunt delen, en zeker niet met een man. Veel mannen missen de fijngevoeligheid om zich in een ander te verplaatsen. De aantrekkingskracht in de relatie met Paul ligt juist in het feit dat wij zo veel van elkaar verschillen. De afstand houdt de spanning erin, en dat houdt de seks goed. Voor de intimiteit had ik Isabel. Dat is nu verleden tijd. Af en toe bellen we elkaar, maar er vallen ongemakkelijke stiltes in onze gesprekken. We weten niet goed waar we over moeten praten. De vertrouwelijkheid is weg.

Wat ben ik naïef geweest. De verwachting dat hartsvriendinnen wél alles met elkaar kunnen delen was kinderlijk hooggespannen. In feite heeft Noam gelijk, het krijgen van een kind is iets tussen hen tweeën. Het is hun kind, ik sta daar inderdaad buiten. Het is altijd wennen als vrienden kinderen krijgen. Zo'n dramatische omwenteling betekent nu eenmaal dat vriendschappen aan belang inboeten.

Het is een aflopende zaak, zoals het hele leven. Uiteindelijk ga je dood, en dat doe je alleen. De hechtste vriendschappen worden gesloten als je tiener of twintiger bent. Dan sta je het meest voor elkaar open, dan is de behoefte om te delen het grootst. Als mensen vaste relaties krijgen, gaan ze meer tijd met hun partner doorbrengen en schuiven de vriendschappen naar het tweede plan. Als ze ten slotte kinderen krijgen, hebben ze nog minder tijd over voor hun vrienden. Ze zien zo nu en dan nog vrienden die zelf ook kinderen hebben, dan kunnen de kinderen leuk met elkaar spelen en kunnen zij daar weer fijn over keuvelen. Een persoonlijk gesprek wordt een zeldzaamheid. Je valt je vrienden niet meer met je problemen lastig. Daarmee ga je naar de psychiater, of je houdt ze voor jezelf.

Straks blijf ik alleen achter met Paul, ongelukkig, verzuurd en eenzaam, zonder kinderen, zonder vrienden, zonder Isabel. En uiteindelijk wellicht ook nog zonder Paul. Eens zal hij genoeg krijgen van mijn sombere buien.

V HET IVF-CIRCUS, *of hoe ik ontroerd word door trillende frambozen*

De wachtkamer zit vol zwangere vrouwen. Er hangen overal geboortekaartjes. Misschien is de bedoeling van dit nadrukkelijk vertoon van vruchtbaarheid dat wij optimistisch gestemd raken. Door IVF ligt al dit begeerlijks ook voor u in het verschiet! Maar ik word erdoor geïntimideerd en krijg het er benauwd van. Ik wil hier weg.

Ik ben net terug van een bezoek aan de boekenbeurs in Zimbabwe. Het was niet alleen voor mijn werk een belangwekkende reis. Ook mijn ego is minstens tien centimeter gegroeid. Het was een van erotiek zinderende week. Mijn hartzeer en buikpijn waren verdwenen, mijn lichaam behoorde mij weer toe. Ik voelde me zelfs aantrekkelijk, en straalde dat blijkbaar ook uit. Die sensatie was ik helemaal vergeten. Het had niet veel gescheeld of ik was vreemdgegaan. Paul zou het nooit hoeven te weten. Wie weet wat hij in mijn afwezigheid uitspookte. Je leeft maar één keer, voor je het weet ben je oud en lelijk en sla je jezelf voor de kop dat je je als een kuise non gedragen hebt. Na Pauls affaire met Maria had ik af en toe geroepen dat ik nog recht op revanche had, maar na een tijdje was dat verjaard.

Soms vraagt een potentiële liefhebber mij uitnodigend: 'Waarom wil jij eigenlijk een kind? Als je liefde over hebt, kun je toch veel beter een minnaar nemen?' Hij trekt er dan een verleidelijke 'Neem mij!'-blik bij. Ik geniet van zulke aandacht. Ik houd van flirten en uitdagen. Ik speel graag het spel van de verleiding, maar als het erop aankomt, kruip ik toch het liefst weer bij Paul in bed. Zijn lichaam is mijn favoriete bestemming. Ik ken er ieder plekje. Er zijn andere aantrekkelijke oorden, maar hier wil ik altijd weer naar terug. Ook sinds mijn eisprong ons seksleven regeert, laten we ons plezier in bed niet vergallen. Dat is een geschenk uit de hemel. Voor hetzelfde geld gaat de lol ervan af omdat je seks alleen nog maar met onvoorspoedige voortplanting kunt associëren.

Het verband tussen seks en voortplanting heeft nooit erg tot mijn verbeelding gesproken. Ik verveelde me dood toen mijn ouders ons voorlichting gaven. De aanleiding van hun plotselinge openhartigheid over de bloemetjes en de bijtjes en de zaadjes en de eitjes was een stuk interessanter. Met mijn broer en zus en nog twee vriendjes uit de buurt hadden we een geheim seksclubje opgericht. Geen van allen waren we geslachtsrijp. Onze blote spelletjes waren onschuldig, maar op een kinderlijke manier wel opwindend.

We hadden ons laten inspireren door plaatjes uit een grotemensen tijdschrift waar mijn broer de hand op had weten te leggen. Gezamenlijk ontwikkelden we een spel, met spelregels erop en eraan. Ombeurten moest je met de dobbelsteen gooien en afhankelijk van het plaatje waarop je terechtkwam, moest je iets met iemand doen: kusjes geven op diverse plekken, boven op elkaar zitten in vergelijkbare posities als op de foto's. Ik ging net volledig op in een ingewikkeld standje met een van de andere clubleden, toen mijn vader plotseling binnenkwam en ons op heterdaad betrapte. Hij werd niet boos – mijn ouders waren modern – maar nam het spel wel direct in beslag. We moesten onze kleren weer aantrekken en onmiddellijk mee naar de huiskamer komen. Daar begon hij ons in bijzijn van mijn moeder, die hem voor de gelegenheid niet tegensprak, een slaapverwekkende uiteenzetting te geven over wat papa's en mama's met elkaar doen om een kindje te maken. Het was duidelijk dat deze functionele handeling was voorbehouden aan grote mensen en ik begreep dan ook niet waarom hij ons kinderen ermee lastig viel.

Later kreeg ik nog een keer seksuele voorlichting op de lagere school. Dat was een stuk boeiender, want onze meester had een systeem bedacht dat leerlingen in staat stelde anoniem vragen te stellen. We mochten opgevouwen briefjes in een plastic bekertje op zijn bureau stoppen. Hij beloofde alle vragen te beantwoorden. Dat lieten we ons geen twee keer zeggen. We vroegen hem het hemd van het lijf, en zonder blikken of blozen vertelde hij hoe vaak hij het met zijn vrouw deed, dat zijn vrouw inderdaad van onderen ook rood haar had, en hoe lang die van hem ongeveer was, slap en in erectie. Algauw volgden er klachten van ouders en verdween het bekertje van zijn tafel. Tegen die tijd wisten we wel ongeveer alles wat er te weten viel.

In diezelfde periode – we waren een jaar of twaalf – kwamen er ook schoolfeestjes in garages, waarbij de ouders zich discreet terugtrokken. Wij vulden die avonden grotendeels met een stoelendans zonder stoelen. De jongens stonden in een binnenkring, de meisjes liepen eromheen, op de maat van de muziek. Als de muziek stokte, moest je tongzoenen met de jongen bij wie je stil was blijven staan. Dan begon de muziek weer te spelen en ging je weer vrolijk verder. Natuurlijk werd er naar hartelust gesmokkeld, zodat die feestjes lang niet voor iedereen even leuk waren. Maar ik had altijd veel geluk. Niet alleen in de liefde trouwens.

Mijn vader noemde mij een zondagskind, en welbeschouwd ben ik dat nog steeds. Ik zie er goed uit, ik ben gezond, ik heb een partner, veel vrienden, een hechte band met mijn familie, een goede opleiding, een leuke baan, geen geldzorgen. Geen kinderen, nee, maar dat heeft ook zo zijn voordelen. Er zijn veel mensen zonder kinderen die heel tevreden zijn met hun leven. Misschien wel gelukkiger dan veel mensen die wel kinderen hebben, met alle zorgen, verantwoordelijkheden en onvrijheden van dien. Want zou ik nog wel zulke prachtige verre reizen maken, als ik eenmaal kinderen heb? Zou ik nog weleens uitgaan en dansen, drinken en praten tot diep in de nacht? En wordt het langzamerhand geen tijd voor een volgende stap in mijn carrière, na drie jaar hetzelfde werk bij dezelfde werkgever?

Tijdens mijn studie vertelde een vrouwelijke hoogleraar tijdens een college, ten overstaan van een hele groep studenten, dat ze geen kinderen had kunnen krijgen. Anders was ze huismoeder geworden, zei ze, want ze had geen andere ambitie. Toen het met kinderen niet lukte, had ze zich gelaafd aan de wetenschap. Toevallig was ze daarin wel erg succesvol.

Ik was onder de indruk van haar verhaal, al had ik er toen nog geen idee van wat het betekende om geen kinderen te kunnen krijgen. Tot dan toe had ik onvruchtbaarheid geassocieerd met zieligheid en dorheid, maar dit was een mooie levendige vrouw, die zich elegant en sexy kleedde en bovendien internationale erkenning op haar vakgebied genoot. Ze had alles wat ik in een vrouw bewonderde, en nu bleek ze ook nog menselijk en wijs te zijn. Ze vertelde haar verhaal heel rustig en neutraal, als om te illustreren dat het in het leven soms anders kan lopen dan je wilt, maar dat dit niet alleen maar treurig is. Integendeel. Mislukking kan een bouwsteen zijn voor succes. Ik zou ook succesvol kunnen zijn, als ik niet steeds dieper in het moeras van de gefrustreerde kinderwens zou wegzakken. Ben ik niet ongelooflijk dom bezig door nu ook nog eens het glibberige IVF-pad te gaan bewandelen? Vergooi ik niet mijn mooiste jaren?

Paul kent deze twijfels niet. Hij heeft ook niet zo'n geldingsdrang als ik. Hij wil plezier hebben in zijn werk, voldoende geld verdienen en tijd overhouden om gitaar te spelen, te tennissen, te schilderen en met vrienden uit te gaan. Maar het idee van een toekomst zonder kinderen vindt hij kaal. 'Dan blijft alles zoals het is,' zegt hij. 'Ik wil het leven ook nog vanuit een andere dimensie meemaken.'

Ik merk hoe zeker hij is van zijn zaak. Er doemen twee scenario's voor me op als ik nu afhaak. Eén: Paul die me verlaat om kinderen te krijgen met een ander. Twee: Paul die bij me blijft, maar me stille verwijten gaat maken dat ik hem geen kinderen heb gegeven, zodat onze relatie zal verzuren.

Ik vind beide opties onverdraaglijk, maar niet onvoorstelbaar. Als je graag kinderen wilt, kan die wens sterker zijn dan de liefde voor je partner. En bij hém is er niets aan de hand, híj kan gewoon kinderen krijgen. Het probleem ligt bij mij. Dat mijn eileider dichtzit, komt volgens de artsen door een vroegere infectie, die veroorzaakt kan zijn door mijn wisselende contacten van toen. Paul weet dat, maar hij heeft daar nog nooit over gezeurd. Als hij het wel zou doen, zou ik hem dat kwalijk nemen. Die avontuurtjes waren van voor zijn tijd, ik heb er geen spijt van, ik had deze gevolgen niet kunnen voorzien. Toch zou hij in zwakke momenten met een beschuldigende vinger naar mij kunnen wijzen, en dat doet hij niet. Als hij het zo graag wil, zal ik mijn uiterste best doen hem kinderen te geven. Bovendien wantrouw ik mijn plotselinge animo voor een toekomst zonder kinderen. Misschien probeer ik me te wapenen tegen nieuwe teleurstellingen. Kom maar op. Ik ben klaar voor het volgende offensief.

'IVF wordt doorgaans toegepast in gevallen als dat van u, waarin geblokkeerde eileiders de belemmering vormen voor een gewone zwangerschap. Met IVF kun je die eileiders omzeilen, doordat de eicel na bevruchting direct in de baarmoeder wordt geplaatst.'

Het klinkt allemaal heel simpel en heel logisch. Ik heb er geen moeite mee dat de bevruchting kunstmatig is; het blijven onze eigen ingrediënten die bij elkaar worden gebracht. Of deze nu door de eileiders of buiten de eileiders om in mijn baarmoeder terechtkomen, het gaat om het resultaat: een normale zwangerschap en een kind. Door alle onderzoeken ben ik het gewend om mijn benen te spreiden voor een arts, en Paul heeft ook al ervaring kunnen opdoen met het klaarkomen in een potje.

'De behandeling wordt doorgaans wel als belastend ervaren,' waarschuwt de mevrouw van het intake-gesprek. We vragen naar de slagingspercentages. 'Per poging is de kans op zwangerschap ongeveer twintig procent. Dat lijkt misschien niet veel, maar het percentage is vergelijkbaar met de natuurlijke kans op een zwangerschap bij vrouwen zonder complicaties. Veel vrouwen worden binnen drie pogingen zwanger. Dat aantal wordt ook door de meeste verzekeraars vergoed.'

Ze legt ons uit hoe een en ander technisch in z'n werk gaat. Normaal rijpt er bij een vrouw elke maand één eitje, maar je hebt er duizenden in reserve. Bij in-vitro-fertilisatie worden, met behulp van injecties met natuurlijke hormonen, meerdere eitjes tegelijk tot rijping gebracht om de kans op een geslaagde bevruchting te verhogen. Door middel van echo's en bloedonderzoek wordt het rijpingsproces voortdurend nauwlettend gevolgd. Als de eitjes rijp zijn, worden ze aangeprikt en opgezogen. De man moet intussen ter plekke zaad produceren, en vervolgens wordt een en ander samengevoegd. Dan is het een paar dagen afwachten of de eitjes bevrucht raken en of er celdeling optreedt. Als dit het geval is, worden één of meer bevruchte eitjes teruggeplaatst in de baarmoeder. En dan is het twee weken afwachten of het embryo zich goed nestelt.

Bij vertrek worden we overladen met folders en informatie en recepten. Het duizelt me. Als ik de recepten de volgende dag bij de apotheker overhandig, kan ik de twee grote papieren zakken nauwelijks dragen. Ze puilen uit van de grote en kleine spuiten, met losse en vaste buisjes vloeistof, in diverse kleuren met opschrift: decapeptyl, humegon, pregnyl; vaste en losse naalden, klein en groot, dik en dun; pleisters, gaasjes en alcohol.

Gewoonlijk kom ik alleen bij de apotheker voor een pakje aspirine of een zwangerschapstest. Deze ontzagwekkende buit laat ik gierend van de lach aan Paul zien: kijk, dit is het gereedschap voor de productie van ons toekomstige kind. We bestuderen de inhoud en verdelen de taken.

De kleine spuitjes met decapeptyl zijn voor in mijn buik, die ga ik mezelf toedienen. Ik heb mezelf nooit hoeven prikken. Mensen met suikerziekte doen dit hun hele leven, hou ik me voor. De eerste paar keer vind ik het eng, maar het went al snel en doet nauwelijks pijn. Deze voorbereidingsfase duurt normaal twee weken, maar kost ons in verband met een onderzoek anderhalve maand. In die periode valt ook het jaarlijkse beursbezoek aan Frankfurt, een erg intensieve en belangrijke week. Ik neem een voorraadje injecties mee en probeer voor het goede doel 's avonds geen alcohol te drinken, iets wat in deze omgeving een behoorlijke opgave is. Gezamenlijk eten, maar zeker ook drinken is hier dé vorm van ontspanning na een drukke werkdag. Diverse malen wordt me gevraagd of ik soms zwanger ben als ik alweer een glas mineraalwater bestel, waarop ik een beetje schutterig reageer. Door de hormonen voel ik me labiel. Het valt me zwaar mee te draaien in de geoliede machine van zakelijk en leuk doen.

Van één afspraak met een literair agente word ik echt ongemakkelijk. Deze fanatieke vrouw probeert een boek aan mij te verkopen, getiteld: 'De mythe van het moederschap'. Ik houd de boot af: 'Zoiets past niet in ons fonds', wat nog waar is ook. Maar ze is niet te stuiten: 'Vrouwen worden in het moederschap gedwongen. Het wordt vrouwen aangepraat dat ze zonder kinderen hun vervulling mislopen. Het moederinstinct bestaat helemaal niet, het is een uitvinding van mannen. Vrouwen die geen kinderen kunnen krijgen, voelen zich mislukkelingen en wringen zich in de meest onmogelijke bochten om toch aan die mythe te kunnen beantwoorden. Ze laten zich opereren, ze spuiten zich vol met hormonen, ze laten met zich sollen. Hoeveel vrouwen onderwerpen zich tegenwoordig niet aan IVF-behandelingen? IVF is een van de meest verwerpelijke verworvenheden van deze tijd. Het is een uitvinding die de mythe van het moederschap ondersteunt en in stand houdt.' Ik denk aan de buisjes vol hormonen in de koelkast van mijn hotel. Vanavond ga ik me weer een shot toedienen.

'Onderschat de auteur vrouwen niet erg, als ze denkt dat ze zo dom zijn om zich een kinderwens te laten aanpraten?' probeer ik ertegen in te brengen. Ik besef dat het hier helemaal niet gaat over de mening van de auteur. Dit gesprek gaat niet over het boek, het gaat over ons. Deze vrouw is duidelijk net als ik persoonlijk betrokken bij het onderwerp. Waar komt anders haar felheid vandaan?

'Nee, het is niet dat vrouwen dom zijn. Ze zijn alleen zo verdomde gevoelig voor wat mannen van ze willen en voor wat er van ze verwacht wordt, in plaats van zelf bewuste keuzes te maken.' Ik vertrek in verwarring naar de volgende afspraak.

Doe ik het voor Paul? Gedeeltelijk wel. Als hij niet zo graag wilde, was ik vast niet zover gegaan. Maar het zou pas echt erg zijn als ik het uitsluitend voor hem zou doen. Natuurlijk wil ikzelf ook een kind van hem. Hoewel ik me steeds vaker afvraag hoe graag eigenlijk. Het moederschap trekt me niet bijzonder aan. Mijn hart smelt niet bij de aanblik van een baby. Ik vind moeders die met wallen onder hun ogen achter kinderwagens lopen te sjokken onaantrekkelijke wezens.

Maar ik weet wel hoe het is om vol verwachting te zijn. Ik weet hoe pijnlijk het gevoel van verlies is, als een zwangerschap mislukt. Zwangere buiken doen mijn hart ineenkrimpen. Kennelijk kan ik het nog niet aanvaarden dat ik geen kind zal krijgen. Ik neem dus aan dat ik inderdaad een kinderwens heb. Wat heeft het voor zin om er verder nog over na te denken? Dan blijf ik eeuwig rondzwemmen in mijn eigen twijfels. Misschien is mijn grootste probleem wel dat ik te veel tijd krijg om te twijfelen. Ik geloof in impulsieve beslissingen, ik denk dat alle belangrijke beslissingen met het hart worden genomen. Maar mijn hart krijgt te veel tijd. Daar wordt het twijfelzuchtig van.

Andere mensen hoeven niet eindeloos na te denken of ze wel of geen kind willen. Die weten ook niet waar ze aan beginnen en of het de moeite waard zal zijn. Op een bepaald moment doen ze er gewoon een gooi naar en zien ze wel wat het wordt. Ik doe er ook een gooi naar, alleen kost die van mij erg veel tijd en inspanning, maar dat is nu eenmaal niet anders. Je doet wat je moet doen. Ik doe nu gewoon een rondje IVF. Het moederschap is van later zorg en de mythe van het moederschap zal mij nu een zorg wezen.

Als ik weer thuis ben, breekt het tijdperk van de grote spuiten met de dikke naalden aan. Om en om, in de linker en in de rechter bil. Dit is Pauls verantwoordelijkheid; hij heeft in het ziekenhuis geleerd hoe het moet.

'Mag ik in je komen?' vraagt hij semi-geil voor hij de spuit in mijn billen zet.

'Ja, kom maar, dieper, dieper!' roep ik terug terwijl ik mijn achterwerk omhoogsteek.

Van anderen kan ik nog altijd niet veel grappen hierover verdragen. Ik heb spijt dat ik het niet voor me heb kunnen houden. Een vriendin noemt IVF 'een kindje bestellen in het ziekenhuis'. Een goede vriend, wiens grove humor ik meestal erg kan waarderen, zegt tegen me: 'Dus nu krijg je straks een Mengele-baby?'

Zonder verdoving halen ze met een dikke naald dwars door mijn vaginawand de gerijpte eitjes uit mijn buik. De punctie lijkt eindeloos te duren. Paul mag intussen lekker masturberen in een speciale ruimte met bed en opwekkende lectuur. Mannen zeggen dat klaarkomen op bevel ook geen pretje is, maar het doet in ieder geval geen pijn. Ik word vanbinnen lekgeprikt, het lijkt wel een martelmethode. Het schijnt dat sommige vrouwen hier niets van voelen. Kennelijk ben ik extreem gevoelig.

De oogst is goed: twaalf eitjes. Nu is het afwachten of de bevruchting slaagt. Als ik gelovig was, kon ik nu gaan bidden dat het goed gaat. Ik heb eens gelezen over een oude vrouw in China die zo bang was voor vliegtuigen dat ze de vlucht van haar dochter of kleindochter naar Amerika mentaal begeleidde. Ze vloog in gedachten mee en ondersteunde de vleugels om te voorkomen dat het toestel zou neerstorten. Op een dergelijke manier stuur ik mijn gedachten naar het ziekenhuis en concentreer ik mij op het samensmelten van Pauls zaad en mijn eitjes ergens in een bakje of buisje in het laboratorium. Toe maar, jongens, maak er een stevige orgie van!

Na enkele dagen volgt het bevrijdende telefoontje: vier eitjes zijn bevrucht, waaronder twee embryo's van uitstekende kwaliteit, volgens de mensen van het laboratorium. Ik dacht dat een eitje gewoon een eitje was en een zaadje gewoon een zaadje, maar nu blijkt de combinatie van die van ons embryo's van uitstekende kwaliteit te hebben geleverd. Ik voel me bijna trots, net als die keer dat ik een compliment kreeg over mijn baarmoeder.

Voordat ze in de baarmoeder worden geplaatst, mogen we de twee embryo's even zien. Ze worden geprojecteerd op een televisiescherm. Ze lijken op frambozen, twee rondjes die zijn opgebouwd uit kleine bolletjes, dat zijn de gedeelde cellen. Ik raak ontroerd door hun onbeholpen getril, dat ze nu al iets menselijks lijkt te geven. Van de terugplaatsing zelf voel ik bijna niets. Ik vind het wel een plechtig moment. Na afloop worden we alleen gelaten. Ik moet nog een kwartiertje op mijn rug blijven liggen en Paul houdt mijn hand vast. We zijn er een beetje stil van. Wat moet je ervan zeggen, wat moet je ervan denken? Er is nog helemaal niets zeker, maar toch, er bevindt zich weer een begin van nieuw leven in mijn buik. En daarmee is de hoop weer geboren.

De volgende dag krijg ik hoge koorts en hevige buikpijn. Iedere beweging is verschrikkelijk, en ik zie er dan ook enorm tegen op als blijkt dat we met de auto helemaal naar het ziekenhuis in Voorburg moeten. Het is een uur rijden. We hadden voor dit ziekenhuis gekozen omdat het op fietsafstand van mijn werk in Den Haag lag. Daardoor kon ik de veelvuldige ziekenhuisbezoekjes zo om mijn werktijden heen plooien dat ze er op kantoor niets van hoefden te merken. Tot nu toe was ik erg tevreden met onze keuze. Ik ben in geen enkel ziekenhuis zo menselijk behandeld als door het IVF-team in Voorburg. Nu vervloek ik de afstand. Telkens wanneer Paul optrekt, remt of een bocht neemt, kreun ik van ellende.

In het ziekenhuis duurt alles een eeuwigheid. Bloedonderzoek, echo, kweek, inwendig onderzoek. Vermoedelijk is er sprake van een ontsteking aan de eierstok, zegt de gynaecoloog. Dit heeft weer nadelige effecten op de vruchtbaarheid, maar dat is op dit moment het laatste waar ik me druk over maak. Daarvoor voel ik me veel te beroerd. Ik krijg een recept voor antibiotica mee en voor flagyl, een infectiebestrijder. Daarna lig ik drie dagen lang met hoge koorts op mijn rug in bed, met mijn handen op mijn buik, te wachten tot de tijd en de pijn voorbijgaan.

Isabel komt op ziekenbezoek. We hebben elkaar sinds de verwijdering niet meer gezien. Met haar bezoek laat ze zien dat ze nog steeds mijn vriendin is. Dat doet me goed, al heb ik geen idee hoe we onze vriendschap nu invulling moeten geven. Haar zwangere buik begint zichtbaar te worden. Ik probeer er iets luchtigs en aardigs over te zeggen, als geforceerde blijk van erkenning. Gelukkig weidt zij er verder niet over uit. Ze heeft vrouwenbladen bij zich. Dat vinden we allebei het summum van verwennerij en ontspanning. Ze maakt thee voor me. We praten niet veel. Waar moeten we het over hebben? Onze ervaringen staan haaks op elkaar en we worden er allebei erg door in beslag genomen. Zij heeft de naar binnen gekeerde afwezigheid van zwangere vrouwen die vol zijn van het wonder dat zich in hun lichaam voltrekt. Bij mij doet alles weer pijn vanbinnen.

Zouden die twee embryo's deze barre omstandigheden wel hebben overleefd? Ik kan het me bijna niet voorstellen. In Voorburg zeggen ze dat zo'n heftige ontsteking als gevolg van een IVF-behandeling vrijwel nooit voorkomt. Heb ik weer zoiets. De volgende keer, beloven ze, zullen ze me een preventief antibioticascherm toedienen, zoals ze dat zo plastisch noemen. Zou dit betekenen dat ze deze poging al tot mislukken gedoemd beschouwen? Ik voel niets van de bekende zwangerschapsverschijnselen, ik heb geen gespannen borsten. Maar misschien is het daar ook nog wel te vroeg voor. Ik ben nog steeds niet ongesteld, terwijl dat inmiddels wel had gekund. Iemand vertelt me dat koorts geen invloed heeft op embryo's; die zitten juist ingekapseld om ze tegen dat soort invloeden van buitenaf te beschermen. Misschien dan toch...

Anderhalve maand labiel door de hormonen: voor niks. Vrijwel dagelijkse bloedprikken en echo's in het ziekenhuis: zonde van de tijd. De kwelling van de punctie: zinloos. Dagenlang als verlamd in bed: nergens goed voor. Twee lange weken wachten en hopen tegen beter weten in: gewoon weer ongesteld met ouderwets hevige krampen. Ze hebben de twee overtollige eitjes zelfs niet kunnen invriezen, uiteindelijk was het dus toch geen topkwaliteit.

Van Isabel hoor ik ook niets meer. Dat blijkt een onverwachte oorzaak te hebben: ze was met een acute nierbekkenontsteking in het ziekenhuis opgenomen. Inmiddels heeft ze een antibioticakuur gekregen en is ze weer thuis. Ik zoek het op in de medische encyclopedie. Zo'n ontsteking komt geregeld voor bij zwangere vrouwen en als ze tijdig behandeld wordt, vormt ze geen bedreiging voor het kind. Het gevaar is dus geweken, maar Isabel is zich rotgeschrokken. Dus nu is het mijn beurt om mijn vriendschap te betuigen.

Ik zoek haar op, neem troostlectuur mee en zet thee. Ze vertelt hoe bang ze was om haar kind te verliezen. Alsof het een unieke ervaring betreft. Alsof haar angst erger is dan mijn werkelijkheid. Mijn tweeling had al drie jaar kunnen zijn, het kind uit mijn tweede zwangerschap zou nu geboren zijn als het zich niet op de verkeerde plek had genesteld. Mijn laatste droomkind is zojuist in de kiem gesmoord. Ik kijk naar haar buik, die sinds de vorige keer behoorlijk in omvang is toegenomen. Zij krijgt straks gewoon een kind. Ik schenk nog maar een kop thee voor haar in.

Ik kan me er bij anderen dood aan ergeren als ze alles spiegelen aan hun Persoonlijke Ramp. Mensen die wat mankeren en iedere gelegenheid aangrijpen om te verzuchten: 'Jij bent tenminste gezond.' Eenzame lieden die alles afdoen met: 'Jij hebt tenminste een partner.' Bij hun leed valt al het andere in het niet. Zelf ben ik nu ook zo'n gefrustreerd type aan het worden: Jij moet niet zeuren, jij hebt (of krijgt, al naar gelang) tenminste een kind. Ik zeg het nog net niet hardop, maar het scheelt niet veel.

Klachten van anderen pareer ik met verhalen over hoe het nog veel erger kan. Als iemand zeurt over een moeilijke bevalling, vertel ik in geuren en kleuren over die van mijn schoonzus in een achterlijk ziekenhuis in Polen. Mijn oudste broer was daar diplomaat. Toen bij zijn vrouw de vliezen braken, gingen ze met de auto door een regenachtig Warschau op weg naar het eliteziekenhuis voor buitenlanders en de Poolse bovenlaag. Ze verdwaalden. Na een zenuwslopende rit door de stad was de barensnood zo hoog dat ze het eerste het beste ziekenhuis aandeden. Daar kregen ze geen voorkeursbehandeling. Het was een harde kennismaking met het gewone Poolse leven. Mijn broer mocht de bevalling niet bijwonen, vanwege de hygiëne. Hij moest van achter een raampje toekijken hoe ze zijn vrouw als een varken leken te slachten. Voor de keizersnede bestond geen enkele medische indicatie; haar vorige drie kinderen had ze zonder enig probleem ter wereld gebracht. Daarna werd het kind stevig ingebonden en afgevoerd naar een andere ruimte. Toen mijn schoonzus protesteerde, werd ze platgespoten. Mijn broer werd weggestuurd. Mijn schoonzus kwam bij en vroeg totaal overstuur naar haar man en kind. Opnieuw kreeg ze een kalmerende prik toegediend. Het is een heerlijk verhaal om te vertellen. Baas boven baas. Maar ik besef dat mijn plezier voortkomt uit de agressieve neiging om de klagers terecht te wijzen.

Niemand schiet er iets mee op om zijn leed te vergelijken met dat van een ander. Mijn situatie kan voor een ander weer benijdenswaardig zijn. Een vriendin van me is jaloers op mij omdat ik al een paar keer zwanger ben geweest. Zij probeert het ook al jaren, maar bij haar gebeurt er helemaal niets. Ze weten niet waar het aan ligt en kunnen er niets aan doen. 'Jij weet in ieder geval dat je zwanger kunt worden,' zegt ze, 'dat is al heel wat meer dan ik.'

Voor sommige vrouwen is het helemaal geen feest om zwanger te zijn. Een bevalling is soms een traumatische ervaring. Vrouwen kunnen in de war en depressief zijn na de geboorte van hun kind. Het kind kan ook nog van alles mankeren. Iedereen ondervindt tegenslag en bij iedereen ligt de drempel van wat hij kan verdragen anders. Sommige mensen overleven mensonterende vernederingen zonder hun levenskracht te verliezen. Vergeleken bij de martelingen die zij hebben doorstaan, vallen mijn tegenslagen volledig in het niet.

Ik weet het heus wel. Maar verstand en gevoel lopen helaas niet in de pas. De ene keer snelt het gevoel vooruit, de andere keer sjokt het achter het verstand aan. Soms raken beide het spoor bijster en rennen ze domme rondjes achter elkaar aan, zodat je niet meer kunt onderscheiden wie nu wie bij wil houden. Zo is het nu bij mij, een onontwarbare kluwen. Als de was in een centrifuge draai ik alsmaar hetzelfde benauwde cirkeltje om mijn eigen lege middelpunt. In elkaar gedeukt, verfomfaaid, klein. Hoe kom ik hieruit? Ik wil languit wapperen in de wind, de buitenlucht ruiken, de horizon zien.

Een oudere collega met wie ik het goed kan vinden, vertrouwt me zijn geschiedenis toe. Zijn vrouw en hij hadden tot tweemaal toe een kind gekregen dat nog niet helemaal rijp was voor de wereld. Eerst een jongetje dat ze Christiaan noemden, toen een meisje met de naam Suzanne. 'Met de huidige technieken hadden ze het wel kunnen redden,' zegt hij. Hij had destijds behoorlijk onbeholpen gereageerd op de dramatische gebeurtenissen.

Kort daarop kreeg hij ook nog van de arts te horen dat zijn vrouw multiple sclerose had. De arts had het niet aan haar verteld. Hij durfde het ook niet te vertellen, na de zware klappen die ze al te verduren had gekregen. Ze kwam er natuurlijk toch achter en het liep helemaal uit de hand. Ze zijn een tijdje uit elkaar geweest, maar uiteindelijk is het weer goedgekomen, want ze hielden veel van elkaar. Ze vinden het nog steeds jammer dat ze geen kinderen hebben, maar ze hebben het inmiddels geaccepteerd. Als iemand op het werk trakteert op beschuit met muisjes is hij blij voor die ander. Hij weet dat kinderen krijgen iets heel bijzonders is en gunt het iedereen.

Ik vind dit van een bovenmenselijke grootsheid. Iemand die zelf gebukt gaat onder zijn werkloosheid, kan toch ook niet echt blij zijn voor een ander die de baan van zijn leven heeft gekregen. Bij iemand die net zijn moeder heeft verloren, vind je geen gewillig oor voor klachten over de onhebbelijkheden van jouw moeder. Iemand met liefdesverdriet kan de aanblik van verliefde paartjes niet verdragen. Het geluk van een ander kan branden als te felle zon op een onbeschermde huid. Als je je er te veel aan blootstelt, hangen binnen de kortste keren de vellen erbij.

'Hoe kom je over zoiets heen?' vraag ik mijn collega, in de hoop op een wijze levensles.

'Het is alweer jaren geleden. Je leert ermee leven. Maar denk niet dat het helemaal overgaat. De littekens blijven, ze gaan bij je horen. Soms jeuken ze, en soms gaan ze weer even open, bijvoorbeeld door de eeuwig terugkerende vraag of je kinderen hebt. Ik zeg vaak nee, om er maar van af te zijn. Mijn vrouw heeft daar moeite mee. Daarmee ontken ik het bestaan van Christiaan en Suzanne, vindt zij. En natuurlijk heeft ze daarin ook gelijk.'

In Pauls familie is een tweeling geboren. Geertje, die zich daar bij mijn eerste zwangerschap al zo op verheugd had, is nu dan eindelijk toch grootmoeder geworden. Ze is minstens zo trots op de tweeling als Simon en Loes. Een paar jaar nadat hij zijn sterilisatie ongedaan heeft laten maken, is hun ziekenhuistraject met succes bekroond.

Natuurlijk vinden we het heerlijk voor ze. Vanzelfsprekend komen we ze bewonderen. Het zijn twee ongelooflijk kleine wurmpjes, die zij aan zij samen in een wiegje liggen. We complimenteren de stralende ouders met hun mooie nieuwe aanwinsten. We informeren beleefd naar de slaap- en eetgewoontes, want we weten dat jonge ouders daar graag over praten. We geven cadeautjes en eten beschuit met muisjes. We bekijken de babykamer en vinden hem prachtig. Als we vertrekken, zie ik een tweelingkinderwagen in de hal staan. Vroeger wist ik niet eens dat die bestonden, maar je hebt ze in alle soorten en maten. Brede, zodat de kinderen naast elkaar kunnen zitten en lange, waarin ze achter elkaar zitten. Er is ook een lange variant waarin de kinderen met het gezicht naar elkaar toe gekeerd zitten. Ik ontdekte deze variëteit aan tweelingwagens pas na mijn miskraam. Toen leek de stad er ineens van vergeven.

Na afloop van het kraambezoek gaan we langs bij Geertje en Dick, die in de buurt wonen. Ik heb hoofdpijn en voel me ziek. Als Geertje ons bij binnenkomst opgetogen vraagt wat ik van haar kleinkinderen vind, barst ik in huilen uit. Haar gezicht betrekt. Kon ik me maar beter beheersen. Ik ben een spelbreker.

Je moet je niet in je verdriet blijven wentelen, je moet het verwerken en accepteren, zeggen ze. Die woorden zijn zo makkelijk in de mond te nemen. Vooral als ze betrekking hebben op een ander. Moet je veel praten en zo ja, met wie dan? Je partner is een man en kan zich niet verplaatsen in een vrouw, die alles aan den lijve meemaakt. Je vriendinnen zijn zelf zwanger en leven in een andere wereld. Lotgenoten begrijpen het wel, maar je kunt niet op ze bouwen. Net als je wilt gaan kankeren op de uitdijende baarmoeders om je heen, doen ze zelf kond van hun blijde boodschap.

Misschien toch naar de psychiater. Nog meer tijd verdoen in het wittejassencircuit. Als ze me zwanger konden praten, zou ik onmiddellijk gaan, maar wat levert al dat gelul me op? Natuurlijk kan een psychiater je helpen meer inzicht in jezelf te krijgen. Maar mij ontbreekt het niet aan zelfinzicht. Praten lost in mijn geval niets op, het lucht hooguit op. Maar opluchting kun je ook op andere manieren bewerkstelligen. Een fikse huilbui kan opluchten, schrijven in je dagboek kan lucht geven. Ik verslijt heel wat zakdoeken en dagboeken sinds ik ben opgehouden mijn hart bij anderen uit te storten. Sporten is ook heilzaam. Een vriend van me, die jaren in therapie is geweest nadat hij bijna was bezweken aan anorexia nervosa, zweert nu bij hardrennen. 'Een rondje rennen kost niets en helpt beter dan alle psychiaters bij elkaar.'

Ik houd niet van rennen en moet dus iets anders verzinnen om aan mijn conditie te werken. Ik wil weer in vorm raken voor mijn tweede IVF-poging. Ik zie er als een berg tegen op, maar ik kan het toch moeilijk hierbij laten. Na een auto-ongeluk kun je ook het best maar meteen weer achter het stuur gaan zitten.

of mijn verlangen naar het einde

'Mensen denken dat ze recht hebben op een kind. Als ze geen kind kunnen krijgen, doen ze te pas en te onpas een beroep op de medische stand.' Ik ken geen mensen die zoiets te onpas doen, en reken mezelf al helemaal niet tot die zeldzame soort. Mijn zwager kennelijk wel, waarom zou hij dit anders tegen mij zeggen? Ik ken overigens wel veel mensen die vinden dat ze recht hebben op een kind. Vrienden en kennissen vragen zich met een ergerniswekkend zelfvertrouwen af wanneer ze een kind zullen 'nemen'. Ze stemmen het moment zorgvuldig af op hun loopbaanplanning. Ze zoeken al een crèche voordat het kind goed en wel verwekt is. Ze weten dat een kind krijgen niet bij iedereen probleemloos gaat, maar bij hen natuurlijk wel. En onuitstaanbaar genoeg is dat dan meestal ook nog zo. Je zou ze wat meer tegenslag gunnen.

Soms voel ik me net iemand die de hongerwinter nog heeft meegemaakt. Die verwende naoorlogse generatie moest eens weten wat honger is! Maar wat levert mijn levenswijsheid me op, behalve een verhoogde zuurgraad? Hooguit het pijnlijke besef dat ik geen rechten kan doen gelden.

Daarom maakt de opmerking van mijn zwager me zo hels. Ik weet heus wel dat je niet alles kunt krijgen zoals je het hebben wilt. Dat weet ik beter dan hij. Hij heeft makkelijk praten. Zijn vrouw – mijn jongere zusje – heeft me net verteld dat ze zwanger is van haar tweede kind. Zij ziet mijn kwaadaardige blik en trekt haar trui in een beschermende reflex over haar opbollende buik. Ik voel me als de boze fee bij het wiegje van hun aanstaande kind. Ik moet hier weg.

Op weg naar huis bedenk ik hoe ik zijn opmerking had kunnen pareren. Als aankomend arts had hij zich misschien aangesproken gevoeld door deze vergelijking: mensen met hartproblemen maken graag gebruik van een bypass om langer te kunnen leven. IVF is ook een hulpmiddel om een slecht functionerende eileider te omzeilen. Daarmee kan de wens tot voortplanting in vervulling gaan. Een wens die in mijn ogen net zo legitiem is als de wens om met behulp van de moderne technieken je levensduur te rekken. In beide situaties wordt de kwaliteit van het leven verbeterd.

Maar waarom zou ik hierover in discussie gaan? Als het zijn bedoeling is een theoretische boom op te zetten over de vraag wie er wel en wie er geen recht heeft op medische hulp om zwanger te worden, dan moet hij niet bij mij zijn, maar bij zijn collega's in het ziekenhuis. Die vinden het ongetwijfeld interessant om te delibereren over de kosten/batenafweging, de regels en de ethische grenzen die gesteld moeten worden. Ik niet. Ik wil alleen een kind.

Als ik mijn zusje telefonisch feliciteer met de geboorte van hun tweede kind, vraagt zij hoe het met onze tweede ivf-poging is afgelopen. Weer mislukt, volgende keer beter, vat ik kort samen.

Ze vindt het echt jammer voor ons. Haar medeleven, nota bene vanuit haar kraambed, ontroert me en ik besluit toch maar gauw op kraambezoek te gaan. Twee jaar geleden was ik nog zonder reserves aanwezig geweest bij de geboorte van haar eerste kind. Mijn rol was bescheidener dan bij de bevalling van Anna, maar opnieuw vond ik het een even magische als indrukwekkende gebeurtenis. Ik hoopte het nog vaker mee te maken en bood me bij mijn vriendinnen als vrijwilligster aan, maar na mijn tweede mislukte zwangerschap maakte niemand nog van dat aanbod gebruik. Zelf heb ik het ook niet meer herhaald.

Als ik mijn oudere broer vertel van onze mislukkingen, zegt hij bij wijze van troost: 'Ik ken een stel dat ook heel lang bezig is geweest, en toen ze het opgaven, werd zij ineens zwanger. Dat zie je wel vaker, dat als de druk van de ketel is, mensen dan ineens wél vanzelf zwanger worden.' Het is goed bedoeld, houd ik me voor, ik ben overgevoelig op dit terrein. Maar wat ik in dergelijke bemoedigende opmerkingen hoor – en ik krijg nogal wat varianten naar mijn hoofd – is dat het mijn eigen schuld is dat het niet lukt. Ik probeer te hard. Ik doe veel te moeilijk. Ik ben een neuroot met een overdreven kinderwens. Als ik gewoon zou ophouden met proberen, lukt het vanzelf. Gewoon ophouden! Als ik wist dat het zou helpen, zou ik niets liever doen. IVF is geen hobby van me.

Ik geef mezelf ook de schuld dat het niet lukt. We hadden niet moeten vrijen, een week na de terugplaatsing, ik had niet zo hard moeten werken, ik had helemaal geen alcohol moeten drinken in plaats van af en toe een glaasje.

Paul en ik boeken een week zonvakantie op een Canarisch eiland. Reisjes zijn een beproefd middel om bij te komen van onze teleurstellingen. Het is goed om in een andere omgeving te zijn en het gekwelde lichaam te verwennen met zon en zee, lekker eten en drinken. Het is ook goed om ons samen te bezinnen op de toekomst. We hadden ons voorgenomen het bij drie IVF-pogingen te laten, en we hebben er nu twee achter de rug. 'Driemaal is scheepsrecht,' steekt mijn moeder me nog het hart onder de riem, maar zelf zien we het einde nu onheilspellend scherp in zicht komen.

Tijdens een wijnovergoten etentje op een terrasje aan zee voeren we een somber gesprek. Paul zegt dat hij zich voor het eerst realiseert dat het misschien allemaal nergens toe leidt. Ik vraag of hij er weleens over denkt om kinderen met een andere vrouw te krijgen. Hij is ervan doordrongen dat hij het met een ander wel zou kunnen, antwoordt hij. 'Maar de gedachte om je om die reden te verlaten staat ver van me af,' zegt hij er geruststellend achteraan.

Ik weet niet wat ik van zijn opmerking moet denken. Meestal verlaten mensen elkaar niet op rationele gronden. Meestal worden ze gewoon verliefd op een ander als hun relatie om wat voor reden dan ook niet bevredigend is. Hoe lang zal het nog duren voor ik van hem te horen krijg dat hij me verlaat voor een vrouw van wie hij vervolgens onmiddellijk een kind krijgt.

Nee, nog erger, ik moet dan natuurlijk vertrekken, want ons huis is te groot voor mij alleen. Dus blijft Paul hier wonen met zijn nieuwe gezin. Ik ga terug naar Amsterdam, de kroeg in, veel roken en drinken, een verlopen vrouw worden. Ik vind de gedachte dat ik om deze reden verlaten zou kunnen worden grievend en vernederend. Tegelijkertijd kan ik me er wel iets bij voorstellen. Tenslotte zoeken mensen die kinderen willen hun partner mede daarop uit, bewust of onbewust. Maar er is toch nog wel meer dat ons bindt dan die stompzinnige kinderwens! Hadden we elkaar niet iets beloofd over voor- en tegenspoed? Zou ik Paul ook verlaten als hij zijn benen zou verliezen, omdat ik het zo heerlijk vind om met hem te dansen, te fietsen en te wandelen? Waarschijnlijk niet, maar ik zou al die dingen altijd nog met anderen kunnen doen. Daar gaat de vergelijking meteen al mank.

Die vakantie hebben we veel moeilijke gesprekken. We zijn ons bewust van de ernst van de situatie. We twijfelen hardop of onze liefde de kinderloosheid wel zal overleven. We weten niet meer hoe het nu verder moet. Maar tussen onze sombere gesprekken en mijn huilbuien door spelen we tennis, zwemmen we in zee, maken we mooie wandelingen. En we vrijen en maken grappen. Ik zeg uitdagend dat hij nooit meer zo'n leuke vrouw krijgt als ik. Dat hij straks zit opgescheept met een of ander dom wijf en twaalf krijsende koters. Dan komt hij mij op zijn blote knietjes smeken of ik zijn minnares wil worden. Ik zal je verzoek in overweging nemen, beloof ik hem bij voorbaat, maar ik kan je uiteraard geen enkele toezegging doen. Misschien heb ik dan een nieuwe aanbidder die ik trouw wil blijven, een gevoelige romanticus met bloedjes van kinderen die mij als hun nieuwe moeder in de armen sluiten.

Aan het eind van de week zijn we alweer wat optimistischer gestemd. We proberen uitwegen te vinden. Waarom geen moderne variant op de bijvrouw? Misschien kunnen we iemand zo gek krijgen dat ze draagmoeder voor ons wil zijn. Of waarom vragen we niet aan Maria, die inmiddels een gezonde tweeling heeft, maar geen man en geen geld en een veel te klein huis, of ze bij ons wil komen wonen? Misschien is het voor alle partijen wel een geweldige oplossing.

Ik probeer het me voor te stellen. Ik vind Maria leuk, ik zou misschien best met haar samen willen wonen. Maar stel dat het allemaal heel goed gaat, té goed tussen Paul en haar en de kinderen, dan besterf ik het vast van jaloezie. Wellicht is adopteren een optie, dan krijg je alleen kinderen in huis. Al deze varianten zijn ons vreemd, maar het fantaseren erover geeft lucht. Het schept de illusie dat we zelf oplossingen kunnen bedenken voor een misschien wel onoplosbaar probleem.

Na deze heilzame vakantieweek volgt de terugslag. Paul ontglipt me en slooft zich uit tegenover andere vrouwen. Ik zie hem haast niet. Als hij thuis is, is hij in zichzelf gekeerd en raakt me nauwelijks aan. Heeft hij zijn beslissing genomen, nu een en ander ook tot hem is doorgedrongen? Maakt hij zich nu al van mij los en is het jachtseizoen geopend?

Als het zo makkelijk gaat, als het zo snel gebeurd is, laat hij dan verdomme helemaal opdonderen! Laat hij dan het lef hebben om nu weg te gaan en niet pas als hij zijn nieuwe verovering binnen heeft. Anders vertrek ik wel! Hij moet niet denken dat ik niet zonder hem kan! Voor hem tien anderen! Ik haat hem. Ik mis hem. Ik wil dat hij zijn armen om me heen slaat en me zijn liefste noemt, zegt dat hij altijd bij me blijft, wat er ook gebeurt, omdat hij zoveel van me houdt dat hij zich een leven zonder mij niet kan voorstellen.

Mijn vroegere huisgenoten Veerle en Marieke die altijd nogal anti-kind waren, zijn inmiddels ook bevallen en Nicole is al voor de derde keer zwanger. Ik heb alleen een kaartje gestuurd. Loes is onverwacht zwanger geworden van een derde kind. Het is een klein wonder, na alle moeite die ze voor de tweeling hebben moeten doen. Ze zijn er niet onverdeeld blij mee, het is wel erg kort op de komst van de eerste twee. Maar Simon doet stoer over zijn zaad, dat blijkbaar nog zo slecht niet is. Koket beklagen ze zich erover dat ze na de bevalling weer voorbehoedmiddelen moeten gaan gebruiken, terwijl het juist zo prettig was om het zonder te doen. Dat zij nu weer maandenlang geen alcohol mag drinken. En dat ze nu wéér nieuwe namen moeten bedenken.

Maar het pijnlijkst is dat het contact met Isabel zo moeizaam blijft. Ik mis de vertrouwdheid en vraag me af of die ooit nog terug zal komen. We doen allebei ons best, maar daarin blijft het steken. Zij wordt steeds zwangerder, ik steeds wankeler. Ik heb regelmatig nachtmerries waarin ik er alleen voor sta en me maar nauwelijks staande weet te houden.

Ik kom Veerle, Marieke en Nicole tegen op een groot feest waar vuurwerk wordt afgestoken. De eerste twee hebben intussen weer platte buiken en Nicole is nog zwanger. Ik stap op ze toe, maar ze keren zich van mij af. Ze zijn beledigd dat ik niet op kraambezoek ben geweest en geen belangstelling heb getoond voor hun kind.

Ineens begint iedereen te rennen. Ik ben zo in gedachten verzonken dat ik niet in de gaten heb dat we worden aangevallen. Ik probeer me bij de vluchtende massa te voegen, maar het is al te laat. Ik zit in de val. De soldaten willen me slaan, maar ik red me eruit door te zeggen dat ik daar toevallig loop, ik hoor niet bij die anderen, ik ben alleen maar op het vuurwerk afgekomen. Iemand schuift stenen en gruis in mijn vagina terwijl ik loop, ik merk het pas als het er al in zit en haal het er vol afschuw weer uit.

Een groep soldaten ziet mij met mijn hand in mijn kruis tasten. Ze worden erdoor opgehitst en vatten het plan op mij aan een groepsverkrachting te onderwerpen. Ik ren weg en verberg me in een huis, dat bewaakt wordt door politieagenten. De soldaten vallen echter binnen, ze vermoorden de agenten en trekken de uniformen van de doden aan, een soort paarskleurige regenpakken en roze plastic schoentjes.

Ik trek ook een regenpak aan, opdat ze denken dat ik bij hen hoor, maar ik vergeet de plastic schoentjes en doe per ongeluk een van mijn eigen moonboots aan. De andere kan ik niet vinden, dus hink ik op één moonboot en één blote voet verder. Ik voel me erg naakt, ze zullen nu vast zien dat ik verkleed ben, en dan nog zo halfslachtig. Dus toch maar weer terug om plastic schoentjes te halen.

Het lukt, maar ik voel me nog steeds kwetsbaar omdat ik geen pistool heb. Alle anderen lopen met getrokken pistolen. Om me heen vallen doden. Er wordt met stenen gegooid. Mensen krabbelen op, maar worden opnieuw tegen de vlakte geworpen. Ik ben erg bang, maar loop zo onverstoorbaar mogelijk door. Ik wil overleven.

Isabels kind is geboren. Het is een meisje. We gaan meteen op kraamvisite, in het Onze Lieve Vrouwe Gasthuis, waar ik een jaar geleden voor mijn buitenbaarmoederlijke zwangerschap ook lag. Ze ligt in precies zo'n zelfde bed. Ik herinner me ineens hoeveel pijn het deed na de operatie, als iemand tegen mijn bed aanstootte. Ieder schokje is een ware aanranding. 'Niet tegen het bed stoten,' waarschuw ik Paul voordat we Isabel en Noam gelukwensen en de baby bewonderen.

Het was een zware bevalling, de baby is met een keizersnee gehaald. Isabel ziet geel van vermoeidheid, maar heeft een zachte uitdrukking in haar ogen en lacht verguld en ongelovig naar haar kleine meisje. Noam is opgetogen. Hun dochtertje maakt het goed.

Wij staan er wat bij te schutteren, ontroerd, verward en verdrietig. We vertrekken weer gauw. Bij de uitgang komen we Isabels broer tegen. Hij is degene die me na mijn miskraam had gezegd dat ook het verlies van een ongeboren kind rouw vergt. Ik moet nog vaak aan die opmerking denken. Volgens de boekjes kent rouw vier fasen. Fase 1: ontkenning. Fase 2: woede. Fase 3: verdriet. Fase 4: acceptatie.

Fase één heb ik definitief achter me gelaten. Ik schiet heen en weer tussen fase twee en drie. Maar nu zit ik even heel diep in drie. Isabels broer zegt: 'Wat goed dat jullie hier zijn. Zo'n kraambezoek is vast niet makkelijk voor jullie.' Dankbaar wuif ik zijn opmerking weg. Buiten regent het gelukkig.

Mijn zenuwen staan strak: we zijn met onze derde IVF-poging bezig. Het is nu of nooit. Ik ben erg emotioneel en kan weinig hebben. Isabel belt de afspraak af dat ik bij hen kom koken. Ze willen liever met elkaar zijn. Logisch. Natuurlijk.

Een week later gaan Paul en ik even ons cadeau brengen, een zilveren bijtring met ingegraveerde naam. Na tien minuten worden we weer weggestuurd, net op het moment dat we aanstalten maken om te vertrekken. Het is duidelijk dat Isabel nog moe is van de bevalling, ze heeft bovendien last van bloedarmoede. Ze klaagt overal over. De keizersnee is voor haar een traumatische ervaring geweest. Ik doe vergeefse moeite begrip op te brengen. Ze heeft een prachtige baby op schoot! Laat ze tegen een collega-moeder zeuren in plaats van tegen mij. Zij doet ook een mislukte poging om belangstelling voor ons te tonen, door te vragen of we veel fietsen in de duinen. Hoezo fietsen? Ik kan me nauwelijks bewegen, ik heb net een punctie achter de rug.

Wij wachten nu op uitsluitsel over de bevruchting. Dit is voor ons de laatste kans op een kind. Maar zij heeft wel wat anders aan haar hoofd. Haar hoofd staat niet naar buitenwereld, ze is een en al binnenwereld. In die binnenwereld is allang geen plaats meer voor mij.

Waarom kan ik daar niet gewoon aan wennen? Op de terugweg in de auto zet ik de muziek keihard aan, terwijl de tranen me over de wangen stromen. Paul zit zwijgend naast me en legt een hand op mijn knie.

Zoals elk jaar ga ik met mijn moeder naar de dodenherdenking in de Bloemendaalse duinen. We lopen er vanuit Overveen in een stille optocht heen. Mijn broer en zijn kinderen zijn ook mee. Af en toe komen Ruth en Benjamin trots hun buit bij me inleveren, wilde bloemen die ze aan de kant van de weg plukken om straks op de graven te kunnen leggen. Als ikzelf geen kinderen krijg, dan ga ik mijn tanterol uitdiepen.

Een vriendin van mijn moeder loopt naast me. Het is een lieve vrouw van een jaar of vijftig, die geen makkelijk leven heeft. De details ken ik niet, iets met de oorlog, en ernstige problemen op haar werk. Ik zie ineens dat zij de kinderen net zo vertederd nakijkt als ik. Ik vraag haar of zij nooit kinderen heeft gewild.

'Ja, heel graag,' antwoordt ze, 'maar het leven heeft anders bepaald.' Na een korte stilte vat ze in een paar zinnen jaren van verdriet samen. Twee keer zwanger geweest, de eerste keer was het mis bij zeven maanden, de tweede keer bij vijf maanden. Toen overleed haar man aan kanker. Daarna nooit meer iemand tegengekomen met wie het er opnieuw in zat. Ik ben er stil van.

Op de begraafplaats kijk ik om me heen. Zoveel mensen die dierbaren hebben verloren. En daar sta ik met mijn moeder en mijn broer en mijn neefje en nichtje, die mijn hand hebben vastgepakt. Ik druk een kus op hun hoofd.

Toch nog maar een vierde en laatste poging. Ik maak me wijs dat ik me desondanks houd aan de voorgenomen drie keer, want de eerste telde niet. Die had door de infectie geen serieuze kans van slagen. Sinds die eerste keer krijg ik een preventief antibioticascherm. Ik krijg nu ook roesjes, omdat de punctie bij elke poging pijnlijker wordt. Die lichte vorm van verdoving lijkt bij mij niets uit te halen, integendeel. Ditmaal moeten er hulptroepen aan te pas komen om me in bedwang te houden. Ik stuiter alle kanten op, terwijl je uiteraard stil moet liggen als ze vanbinnen met een naald aan het prikken zijn. Na afloop kan ik twee dagen niet slapen en lopen. Als ik dit nog eens doe, dan volg ik het advies van het ziekenhuis: alleen nog onder narcose. Hoezo nog eens? Blijkbaar ben ik er in mijn hart nog niet van overtuigd dat dit echt de laatste keer is.

Ik weet niet zo goed waarom ik maar blijf doorgaan. Misschien alleen maar omdat ik niet meer kan ophouden. We hebben er al zoveel energie in gestoken dat het steeds moeilijker wordt om er een punt achter te zetten. Net als met auto's die gebreken vertonen: hoe meer je erin hebt geïnvesteerd, hoe moeilijker de beslissing om ze weg te doen. Dus breng je ze tegen beter weten in nóg maar eens voor de allerallerlaatste keer naar de garage. Als je eenmaal in de medische molen zit, kom je er niet zo makkelijk weer uit. De artsen zeggen na iedere mislukte poging dat wij toch echt tot de groep kansrijken horen. Er vindt steeds een bevruchting plaats en de embryo's zijn van goede kwaliteit. Dat de innesteling steeds niet lukt, is pure pech. Dus het zou zonde zijn om het nu op te geven.

Intussen weet ik steeds minder goed of ik echt wel zo graag een kind wil. De kinderwens is mijn leven steeds meer gaan beheersen, maar wordt tegelijkertijd steeds abstracter. Om me tegen teleurstellingen in te dekken probeer ik me vooral geen concrete voorstellingen meer van een toekomst met kinderen te maken. Dat geeft de verwoede pogingen om zwanger te worden iets onwerkelijks. Als een kind voor mij niets voorstelt, waar doe ik het dan allemaal voor?

Joyce geeft me het telefoonnummer van een masseur die vruchtbaarheidsproblemen verhelpt. Hij herstelt het verstoorde evenwicht in het lichaam, waardoor een zwangerschap meer kans krijgt. Ik vind het heerlijk om gemasseerd te worden. Intussen praat hij over het opheffen van de blokkades in mijn lichaam. Bij mijn weten heb ik maar één blokkade, namelijk die in mijn eileiders. Ik ben veel te nuchter voor dit soort dingen, maar ik laat me welwillend door hem kneden.

De embryo's zijn ook ditmaal van uitstekende kwaliteit. 'Zo goed hebben jullie ze nog niet eerder gehad,' zeggen de artsen van het IVF-team enthousiast. Het zijn er vier. Gebruikelijk plaatsen ze er maximaal twee terug, om het aantal meerlingen te beperken. Maar hoe meer embryo's er worden teruggeplaatst, hoe groter de kans dat er één of twee stand houden. Ik vind een twee- of drieling prima, dan ben ik in één keer klaar. Vier tegelijk lijkt me wel wat veel, maar het is beter dan niets.

'Plaats ze alsjeblieft alle vier terug,' vraag ik bijna smekend. 'Dit is mijn laatste poging. Ik wil nu alles op alles zetten.'

Ze geven toe. Alle embryo's worden in mijn baarmoeder geplaatst. Opnieuw breken er twee lange weken van wachten en hopen aan. Mijn vader komt langs om de embryo's in te stralen. Door zijn handen op mijn buik te leggen probeert hij de innesteling te bevorderen. Ik zit er ongemakkelijk bij, maar ik vind het ook erg lief van hem. Baat het niet, dan schaadt het niet.

Ook de vierde poging is mislukt. Ik voel me oud en levensmoe. We bevinden ons op een doodlopende weg. Al veel te lang leef ik van cyclus naar cyclus, van poging naar poging, van zwangerschapstest naar zwangerschapstest, van teleurstelling naar teleurstelling. Ik probeer al het andere zo goed en zo kwaad als het gaat

te laten doorgaan, maar ik kan het haast niet meer opbrengen. De talrijke ziekenhuisbezoeken plan ik bijna
altijd vóór kantoortijd. Dat betekent voor dag en dauw
opstaan, altijd met het gejaagde gevoel dat het zal uit-
lopen en ik toch nog te laat kom. Terwijl ik juist zo
mijn best doe om niet gestrest te zijn, want dat schijnt
weer niet bevorderlijk te zijn voor een goede innesteling.

Ik stel alles uit, want toekomstplannen hangen samen met een eventuele zwangerschap. Serieus werk
maken van een nieuwe baan? Het lukt me niet. Na
weer een mislukte poging heb ik te weinig motivatie
om te overtuigen in een sollicitatiegesprek, ik ben te
verdrietig en te moe, mijn hoofd staat er niet naar. Als
ik weer voldoende kracht heb verzameld voor een volgende poging, weerhoudt de kans van slagen me om
iets nieuws te ondernemen. Stel nou dat ik zwanger
word? Zwanger aan een nieuwe baan beginnen lijkt
me niets. Ik zal toch al geen ontspannen zwangerschap
meer hebben. Als ik me dan ook nog in nieuw werk
ga storten, krijg ik vast een miskraam van de spanning.
Een verre reis maken? Stel dat ik zwanger word, en met
een complicatie in Afrika rondloop?

Ik moet hiermee ophouden. Ik houd dit niet langer vol. Ik wil weg, liever vandaag dan morgen, avon-
turen beleven die mij nieuw leven inblazen. Ik wil
mijn toekomst terug.

We besluiten een gepland werkbezoek aan Mexico te verlengen met een lange gezamenlijke vakantie. Onze wens om een kind te krijgen werd zeven jaar geleden in Amerika geboren. Amerika is het land van de dromen. Mexico is het land van de dood. Dat is een goede plek om de kinderwens te begraven.

Ik ben over tijd. Mijn laatste menstruatie vond zes weken geleden plaats. Ik wijt het aan mijn hormonen, die na al die IVF-pogingen waarschijnlijk in de war zijn. Omdat we over een week al naar Mexico afreizen, wil ik het zekere voor het onzekere nemen. Dus toch maar een zwangerschapstest. Positief. Zwanger. Ik denk aan de woorden van mijn broer. Zou het dan toch waar zijn dat je zwanger wordt op het moment dat je ophoudt met proberen? Ik bel onmiddellijk naar het ziekenhuis en mag dezelfde dag nog in Voorburg langskomen voor een echo. Het beeldscherm toont een lege baarmoeder. Rustig blijven, het hoeft niets te betekenen. Misschien is de zwangerschap nog te pril om zichtbaar te zijn. De bloedtest zal het uitwijzen.

De co-assistente is een keurig opgemaakt meisje, met de opgewekte hooghartigheid van iemand in wie het leven nog geen groeven heeft getrokken. Zij oefent voor dokter, ik ben een geoefend patiënt. Ik vertel dat ik misschien een buitenbaarmoederlijke zwangerschap heb, en dat ik vanuit Voorburg ben doorverwezen naar dit ziekenhuis in mijn woonplaats voor het geval een accute opname nodig is. Op een kleuterleidstertoon begint ze haar vragenlijstje af te werken. Ze noteert mijn antwoorden steevast verkeerd. Ik kijk mee en verbeter haar. Ik ken mijn dossier uit mijn hoofd. De medische encyclopedie is mijn lijfboek geworden. Ik ben iemand die alles wil weten en begrijpen. Dat geeft me het gevoel nog enige controle over de situatie te hebben, en dat heb ik nu meer dan ooit nodig. Ik vuur dus mijn vragen op haar af: 'Als het embryo links zit, halen ze mijn eileider dan weg?' En: 'Als ze mijn linker eileider weghalen, kunnen ze dan tijdens de operatie iets doen aan de doorgankelijkheid van de rechter eileider?'

Zij heeft maar één dooddoener tot haar beschikking: 'Dat komt allemaal pas als we een plan tot opereren gaan maken.' Ik geef het op en vertrek om bloed te laten prikken. De uitslag is volgens de co-assistente maandag bekend. Het is nu vrijdag. Dat wordt een zwaar weekend in onzekere afwachting.

Aan de balie vang ik toevallig op dat de bloeduitslagen een paar uur later al bekend zijn. Ik maak me boos dat die barbiepop me onnodig tot maandag had willen laten wachten. Het resultaat is geruststellend. We hoeven geen opname in het weekend te vrezen.

Maandagochtend moet ik opnieuw bloed laten prikken en een nieuwe afspraak maken. Op advies van mijn huisarts sta ik erop dat ik de behandelend arts zelf te spreken krijg. Na ruim een uur wachten verschijnt eindelijk dokter De Koning, die een wat afwezige indruk wekt.

Opnieuw leg ik de situatie uit. Ik geef toelichting over mijn voorgeschiedenis, de eerdere operatie, mijn IVF-pogingen. Omdat hij ongeduldig reageert, staak ik mijn uitleg en stel ik weer mijn vragen, zo gericht mogelijk.

Zijn antwoorden zijn kort maar krachtig. 'Ja' op de vraag of de hele eileider eruit gaat als het embryo links zit. 'Dan wordt het een tomie.'

'Een wat?'

'Een buikoperatie.' Op de vraag of er dan meteen iets aan de rechter eileider gedaan kan worden, luidt het antwoord: 'Nee.' Intussen komt de uitslag van de bloedtest binnen. Er zit zo schrikbarend veel zwangerschapshormoon in mijn bloed dat de gynaecoloog vermoedt dat het misschien toch geen buitenbaarmoederlijke zwangerschap is, maar een gewone. Er moet een nieuwe echo komen. De hoop flakkert op. Het is allemaal een flauwe grap, om me uit te proberen. Straks wordt mijn geduld beloond. Dan blijk ik gewoon zwanger te zijn en komt alles toch nog goed.

Weer wachten in de wachtkamer. Het wachten is altijd het ergst. Eindelijk ben ik aan de beurt. Ik kijk gespannen mee naar het beeldscherm van de echo. Ik zoek beweging, een kloppend hartje. Het scherm toont slechts een amorfe grijze massa. Geen enkel teken van leven.

Weer een buitenbaarmoederlijke zwangerschap. Weer een spoedopname. We moeten de reis naar Mexico annuleren. Het leven speelt een spelletje met mij. Eens kijken hoever ik kan gaan met jou. Jij denkt nog altijd dat je alles zelf in de hand hebt, dat je zelf je toekomst kunt plannen en bepalen. Ik heb die hovaardij er nog steeds niet uit kunnen rammen. Ik zal jou nog een lesje in nederigheid leren.

Ik mag alleen even snel heen en weer naar huis om mijn spullen te halen. Verzenuwd bel ik toch nog een paar vrienden en familieleden. Ik hoor me verwijten maken tegen Isabel en mijn schoonzus, wier belangstellende telefoontjes waren uitgebleven. Het bekende liedje. Ik verwacht te veel medeleven, ik moet daarmee ophouden. Wanneer word ik eens volwassen.

We haasten ons. Dat had niet gehoeven. Als we terugkomen, moet ik uren wachten voor ik een bed toegewezen krijg. Nog weer uren later arriveert een co-assistent die bij mij een infuus moet aanleggen. Hij klungelt ongelooflijk, alsof het zijn eerste keer is. Hij probeert het eerst links, maar krijgt het niet voor elkaar. Als mijn linker arm zo beursgeprikt is dat het irritant wordt, gaat hij op rechts over.

'Als het nu nog een keer misgaat, moeten ze me maar ontslaan,' zegt hij lachend. Het mislukt opnieuw, en dan verdwijnt hij uit het oog, zeker om zijn ontslagbriefje te halen.

Nog weer een uur later – het is inmiddels elf uur 's avonds – kan er pas een arts komen. Ze stallen mij zolang met bed en al op een onderzoekskamer, zodat de andere vijf dames op de zaal rustig kunnen gaan slapen. Wat een verademing. Als het infuus er eindelijk in zit, vraag ik aan de arts of ik daar de hele nacht mag doorbrengen. Het mag. Ik heb een dik boek bij me, over het leven in het getto van Warschau, waarin ik de hele nacht doorlees. Het is zo aangrijpend en ontroerend dat ik vergeet waar ik ben en waarom.

Maar 's ochtends is het boek uit. Ik word weer naar de zaal gebracht. Ik wil alleen zijn, ik wil niet horen waaraan anderen allemaal geopereerd moeten worden of al zijn. Een van de zusters merkt dat ik over mijn toeren ben en vraagt of ze iemand voor me moet bellen. Haar toon is zo lief dat ik mijn tranen niet meer kan bedwingen. Ze sluit het gordijn rond mijn bed, zodat ik toch een beetje privacy heb, en belt Paul, die al onderweg blijkt te zijn.

Hij komt bij me op bed zitten en gaat niet weg voor mijn moeder er is. Zij is nog zenuwachtiger dan ik voor de operatie, maar probeert dat niet te laten merken en praat honderduit. Haar spraakwaterval heeft een kalmerende werking op mij.

Dan wordt ook zij weggestuurd. Mijn schaamhaar moet geschoren worden. Ik ben zo kaal als een pasgeplukte kip. Inmiddels ben ik vertrouwd met deze voorbereidende rituelen. Alle kleren uit, horloge en ringen inleveren, een steriel ziekenhuishemd aan en een mutsje op. In een paar minuten is de metamorfose van individu tot patiënt weer voltrokken.

Als ik bijkom in de uitslaapkamer, is het eerste dat ik vraag: 'Was het een laparascopie of een tomie?', alsof ik de arts ben in plaats van de patiënt. Een buikoperatie, luidt het antwoord. Dat betekent: mijn enige goede eileider eruit. Dat betekent: nooit meer gewoon zwanger kunnen worden. Dat betekent: een lelijk litteken over mijn hele buik, net als bij een keizersnee, maar dan zonder de beloning van een kind. Dat betekent dat ze door mijn buikspieren heen hebben moeten snijden en dat het herstel dus veel langer zal duren dan de vorige keer. Ik begin zachtjes te huilen, maar houd daar al snel mee op, want iedere beweging doet pijn.

Gezegend de uitvinder van de pijnstillers. Alles wordt erdoor gedempt. Ik mag weer terug naar mijn eigen onderzoekskamer, waar Paul al op me zit te wachten. Hij houdt mijn hand vast en is lief voor me. Hij is ook geoefend geraakt. Later komen mijn moeder en Isabel en Noam. Ik ben erg blij om ze te zien. Het is alsof ik uit de dood herrezen ben en weer teruggekeerd in het land der levenden.

Mijn moeder ziet ineens dat het infuus leeg is. We roepen er iemand bij, die vaststelt dat het al geruime tijd droog heeft gestaan. Er moet een nieuw infuus worden aangebracht. Weer veel onhandig en pijnlijk gepiel aan mijn arm. Het ergert me enorm, al dat gedoe aan mijn lichaam. Omdat ik zo graag alleen wil zijn, mag ik weer op de onderzoekskamer blijven slapen.

Dat zal ik die nacht bezuren. Ze leggen me – op mijn verzoek – bij de intercom, zodat ik kan roepen als het nodig is. Ik schrik steeds wakker om mijn infuus te controleren. En ja hoor, het is weer raak. Ik tast naar de intercom, die met een code in werking gesteld moet worden. Het is zo donker in de kamer dat ik de code niet kan vinden. Ik krijg het ding met geen mogelijkheid aan de praat.

Intussen draait het machtige infuus de rollen om: ik krijg geen vocht meer toegediend, maar mijn bloed wordt nu langzaam het plastic buisje ingezogen. Hoe lang zal het duren voor straks die plastic zak met mijn bloed gevuld is? Hoeveel bloed kan een mens missen? Ik begin te roepen, maar mijn stem is nog hees van de narcose. Er is niemand die me hoort.

Ik denk aan het verhaal van mijn tante Ingrid, die na een operatie 'even' in een leeg kamertje was gestald. Pas na anderhalve dag gingen ze zoeken, toen er bezoek voor haar kwam.

In paniek begin ik te huilen en te schreeuwen, maar vervolgens maan ik mezelf tot kalmte. Ik moet mijn stem sparen tot ik iemand langs hoor lopen.

Uiteindelijk is er iemand die me hoort. Ik krijg een nieuw infuus, en een zaklantaarn. Daarna doe ik geen oog meer dicht. Ik ben gefixeerd op mijn infuus. Het vult mijn hele hoofd. En het is of de duvel ermee speelt: ook het volgende raakt leeg zonder dat er iemand komt. Nu kan ik de verpleegster wel roepen via de intercom. Ik zeg haar woedend dat dit nu het derde infuus is dat ze vergeten bij te vullen. Verder hoeven ze niks voor me te doen, alleen zorgen dat dat kloteding op tijd bijgevuld wordt, zodat ik me daar niet de hele tijd zelf zorgen over hoef te maken. Ik heb namelijk al een slapeloze nacht en een operatie achter de rug. Ik wil gewoon rustig kunnen slapen. Ik verwacht een verontschuldiging, maar de verpleegster kijkt chagrijnig en zegt geen woord. Weer zo'n hysterische patiënt die haar frustraties op mij afreageert, zie ik haar denken.

De volgende dag komt dokter De Koning aan mijn bed voor de nabespreking. 'Ik heb uw rechter eileider laten zitten, hoewel we die er beter uit hadden kunnen halen, want als u van beide eileiders verlost bent, is de kans van slagen bij IVF groter,' zegt hij. Aan mijn ontzette reactie merk ik dat ik de IVF nog niet volledig heb afgezworen. Meer dan ooit is het mijn enige kans.

Ik vraag de arts waarom hij de rechter eileider dan niet ook verwijderd heeft.

'Dat kan ik niet doen zonder uw toestemming. Wij hebben er vooraf niet over gesproken,' antwoordt hij.

Ik kan mijn oren niet geloven. Hij voert zijn eigen gebrek aan belangstelling als excuus op! 'Waarom hebt u mij dan niet gevraagd of ik daarmee zou instemmen?' vraag ik terwijl hij alweer aanstalten maakt om naar het volgende bed door te lopen.

'Ach, dat is allemaal zo emotioneel,' mompelt hij voordat hij zich uit de voeten maakt. Psychiaters moeten tijdens hun opleiding zelf in therapie. Ze zouden andere artsen als onderdeel van hun opleiding eens onder het mes moeten laten gaan.

Ik geef me over aan het trage ritme van het herstel. Een infuus voert vloeistof aan, een catheter voert vloeistof af. Langzaam verover ik mijn lichaam terug op de apparaten. Paul masseert liefdevol mijn hoofd, dat uit elkaar lijkt te barsten van de pijn, waarschijnlijk als gevolg van de narcose. Als de ergste pijn gezakt is, begin ik smachtend uit te kijken naar de bezoekuren. Het liefst wil ik iedere minuut van dat uur mensen om me heen. Maar praten en luisteren is vermoeiend. Als ze met meer zijn, praten ze soms ook nog met elkaar of door elkaar heen. En ze bewegen allemaal zo. Van het ene moment op het andere slaat mijn blijdschap met hun aanwezigheid om in irritatie en een uitgeput verlangen naar rust.

Mijn zintuigen kunnen alle prikkels nog niet aan. Als Paul me na een week in het ziekenhuis met de auto ophaalt, kijk ik verdwaasd naar buiten. Wat rijden die auto's snel. Wat heeft iedereen een haast. Ik voel me aangerand door de lawaaierigheid en beweeglijkheid van de buitenwereld. Zelfs in mijn eigen slaapkamer ben ik niet veilig: de buren zijn aan het timmeren. Ik verlang terug naar de stille witte ziekenhuiswereld. Als ik begin te huilen, kan ik niet meer ophouden. Paul belt mijn moeder. Ze komt meteen en strijkt met ongekende tederheid de natte slierten uit mijn gezicht. Van haar troostende gebaar gaat een rustgevende werking uit. 'Dag lieve dochter,' zegt ze. 'Huil maar, het is ook allemaal niet makkelijk voor je.' Ze blijft naast me zitten tot ik in slaap val.

Ik lig in bad en dompel me onder in de klanken van Jiddische muziek, die ik al lange tijd niet meer heb beluisterd omdat Paul het zo sentimenteel vindt. Het warme water opent mijn poriën, waardoor de melancholieke klanken rechtstreeks naar binnen stromen. Als ik niet in bad lig, lig ik in bed en lees een boek over de ziel dat mijn vader mij cadeau heeft gedaan. Normaal gesproken zou ik het onaangeroerd in de kast hebben gezet. Ik heb het altijd te druk met aardsere zaken. Nu niet, nu heb ik alle tijd van de wereld. Ik hoef niets te ondernemen. Ik hoef niets te beslissen. Ik besta en onderga.

Na een paar dagen loop ik gearmd met mijn vriendin Anna mijn eerste wankele blokje om, bang dat iemand me omverloopt of in mijn buik stoot. Het is een voorproefje op de broosheid van de ouderdom. Maar ik word met de dag sterker. Elke dag loop ik een eindje verder.

Een week later haal ik op eigen kracht de drogist, waar ik niet alleen balsem voor mijn litteken, maar ook make-up, badcrème en bodylotion insla. Troostartikelen voor mijn lichaam. De vorige keer heb ik na de operatie ruim een halfjaar buikpijn gehouden doordat ik mezelf niet had ontzien. Nu ben ik wijzer. Mijn lichaam en ik moeten samen verder, we kunnen maar beter goed voor elkaar zijn.

Mijn moeder en ik doen wisseling van de wacht. Ik ben het ziekenhuis nog niet uit of zij moet erin. Ze heeft een tumor in haar hoofd. Het gezwel is zo groot als een ei. Wat hebben wij toch met eieren, dat ze zich steeds op plaatsen in ons lichaam nestelen waar ze niet thuishoren? Mijn moeder heeft altijd veel last van hoofdpijn gehad. 'Mijn tumor speelt weer op,' zuchtte ze dan. Achteraf gezien toch wel een rake grap. De artsen zeggen dat het vermoedelijk goedaardig is, goed te opereren en, als alles goed gaat, goed te genezen.

Wel wat veel van het goede. Ze is panisch. Ze is nog nooit geopereerd, en dan meteen je schedel lichten en in je hoofd gaan snijden! Waar ze nog het meest tegen opziet, is dat ze haar kaal gaan scheren voor de operatie. Kaal gaat vooraf aan dood. Haar moeder, haar tantes, haar nichtjes en neefjes zijn in de oorlog allemaal kaalgeschoren.

Ik neem haar mee naar een chique zaak om een mooie hoed voor haar te kopen voor na de operatie. Het uitstapje is een nerveuze missie om de angst te bezweren. We hebben geen van beiden ooit een hoed gekocht. We gedragen ons als baldadige pubers die lol maken ten koste van de beleefde winkeldame.

'Hebt u iets wat mooi staat op een bleke kale kop?'
vraagt mijn moeder met uitgestreken smoel als we aan
de beurt zijn. 'Het is geen cadeautje, het is voor mezelf.' Gierend van het lachen passen we vrijwel alle
hoeden in de winkel.

'Eigenlijk zoeken we een toverhoed,' leg ik uit als
de verkoopster probeert te achterhalen wat we nu eigenlijk willen. 'Er hoeven geen duiven uit te komen.
Een ei is voor ons al genoeg.' Weer liggen we dubbel,
terwijl de winkeldame wanhopig haar wenkbrauwen
fronst. We kiezen een dure hoed, dat maakt veel goed.

Doodgaan is erg, maar wellicht te verkiezen boven
een ernstige hersenbeschadiging. We praten over gra-
daties: wat is wel acceptabel, wat niet. Het voelt ab-
surd om over acceptatie te spreken, terwijl geen van
ons de reikwijdte van dit onaangename avontuur kan
vatten. Toch moeten deze gesprekken nu gevoerd worden. Vlak voor haar operatie vraagt ze me of ik een eu-
thanasieverklaring wil tekenen voor het geval ze zelf
niet meer toerekeningsvatbaar is. Ik zet een beverige
handtekening. Het is alsof ik bij voorbaat haar doodvonnis teken. Ze heeft een testament laten opmaken.
Ze geeft me haar bankpasje opdat ik in geval van nood
toegang heb tot haar rekening. Ze vertelt me waar haar
waardevolle spullen liggen. Ze laat me een album zien
dat ze heeft bijgehouden voor haar oudste kleindochter, met foto's en informatie over haar familiegeschie-
denis. Haar verzorgde, regelmatige handschrift ont-

roert me. Ze praat zelden over het verleden, maar op deze pagina's heeft ze het tot in detail voor haar kleindochter uit de doeken gedaan.

Ik wou dat ik haar ook een kleinkind had kunnen geven. Ik wil haar iets zeggen, iets waarvoor ik nu nog de kans heb, voordat het straks misschien te laat is. Ik wil haar bedanken voor alles wat ze voor me gedaan heeft. Ik wil haar vertellen hoeveel ik van haar houd. Maar daarmee zou ik mijn handtekening onder haar doodvonnis nog eens onderstrepen. Ik geef haar een zoen en zeg: 'Jij kunt helemaal niet doodgaan. Daar ben je veel te levend voor.' Ze knikt gehoorzaam als een goedgelovig kind.

Ze is helemaal kaal en ligt vastgesnoerd aan angstwekkende apparaten. Maar ze leeft. Benauwd vraagt ze: 'Hoe kaal is kaal?'

'Héél kaal, maar het ei is gelegd.'

Ze zucht en zegt triomfantelijk: 'Dan ben ik de eerste van onze familie die een kaal hoofd heeft overleefd.'

Na een bezoekuur praat ik op de parkeerplaats na met de vrouw van mijn oudste broer. De familiebanden zijn aangetrokken door de bezorgdheid om mijn moeder. Ineens zegt mijn schoonzus: 'Ik vind het zo erg voor jullie dat het niet lukt met kinderen. Ik gun het jullie zo, jullie zouden zulke leuke ouders zijn. Ons gezin is nu compleet. Als jullie ermee geholpen zijn, wil ik wel een kind voor jullie dragen.'

Ik zie dat ze het meent en ben stil van zo'n genereus voorstel. Ik kan het niet aannemen. Zij is niet meer zo jong en ik weet hoe zwaar haar laatste bevalling is geweest. Maar ik ben haar oneindig dankbaar voor dit grote gebaar.

Na de eerste opluchting volgt een zware week van wachten op de uitslag: hebben ze de tumor volledig verwijderd of niet, is het goedaardig of kwaadaardig. Zelfs mijn vader zit trillend van de zenuwen in de wachtkamer. Op het afgesproken tijdstip is er geen uitslag, een dag later is er nog steeds niets bekend. Mijn moeder gaat onderuit als een vioolkam onder te strak gespannen snaren. Ze blijft liggen, wil niet meer praten, niet meer eten, zich niet meer wassen. Ze kan alleen nog maar huilen. Als je wacht op je mogelijke doodvonnis, houd je je vast aan de enige zekerheid die je hebt: het moment waarop je uitsluitsel krijgt. Het is oneindig wreed om iemand ook die zekerheid te ontnemen. Ik ben woedend op de nonchalante arts, die niet eens de moeite neemt om het uitstel te verklaren.

Dagen later, als we de hoop al bijna hebben opgegeven, komt hij eindelijk binnen, met een ernstig gezicht. 'Het litteken ziet er goed uit,' zegt hij terwijl hij met een indiscreet gebaar onder het verband gluurt dat mijn moeders kale schedel bedekt. Ik kijk met hem mee naar dat vreemde landschap van bulten en deuken, dat eruitziet alsof er een hobbyist mee aan het kleien is geweest. 'Als het haar weer een beetje op lengte is, dan zie je er niets meer van,' zegt hij geruststellend, alsof dat op dit moment onze grootste zorg is. Schiet nou toch op, man. Als het kwaadaardig is, vertel het dan verdomme en laat ons niet nog langer in spanning. Eindelijk komt het eruit: 'Het was een goedaardige tumor. We hebben hem in zijn geheel kunnen verwijderen.'

De operatie is volledig geslaagd. Mijn moeder wordt weer gezond! We vallen elkaar huilend in de armen. Ik loop al dagenlang met een fles champagne in mijn tas, in afwachting van dit moment. Nu mag de kurk knallen. Lechaim! Op het leven!

Ze zeggen dat je leert van moeilijke ervaringen. Ik vraag me dan altijd af wat je met die lessen opschiet. Het is een stuk prettiger als ze je bespaard blijven. Je wordt er alleen maar vroeg grijs van. Wijs noemen ze dat. Maar ellende is ellende. Verlies is verlies. Je moet het incasseren, er zit weinig anders op. Wie zegt dat verlies eigenlijk winst is, dat het je verrijkt, die draait de zaak om. Maar ik moet toegeven: het leven van mijn moeder is pure winst. Ook voor mij. Niet alleen omdat ik haar niet ben kwijtgeraakt, terwijl het niet veel had gescheeld, maar ook doordat ik mijn eigen sores heb kunnen vergeten. Nu is het ook nog goed afgelopen. Het is lang geleden dat ik oprecht blij kon zijn voor een ander. Het is of ik eindelijk weer naar buiten mag, na een lange periode van eenzame opsluiting.

Nu dringt tot me door wat ik met mijn verstand al-lang wist: dat mijn situatie zo gek nog niet is. Ik zal weer snel de oude worden, mijn conditie wordt met de dag beter. Mijn tegenslagen hebben mijn gezond-heid niet fundamenteel aangetast, zoals een kwaad-aardige tumor dat wel doet. Een tumor kan van de ene dag op de andere je leven verzieken. Met een beetje pech houdt het gewoon op en ga je dood. Ik krijg mis-schien geen kinderen, maar ik ben gezond en ik leef.

Ik hoef niet meer bij te houden wanneer ik vruchtbaar ben en wanneer ik ongesteld had moeten worden. Voor mij geen zwangerschapstesten meer als ik een paar dagen over tijd ben. Geen pilletjes foliumzuur meer, die ik al jaren dagelijks slik om een miskraam te voorkomen. Ik ben verlost van de hoop op een spon-tane zwangerschap.

Alleen IVF blijft een mogelijkheid. Maar dat moment kan ikzelf bepalen, en ik kan er ook zelf van afzien. Iemand die na een jarenlange vermissing niet terug-komt, wordt op een gegeven moment dood verklaard, opdat de achterblijvers, die niet eeuwig kunnen blij-ven hopen, met die gedachte verder kunnen. Omdat ik uitgeput raakte van de IVF-pogingen, besloot ik mijn kinderwens dood te verklaren. We hoefden daarvoor niet naar het land van de dood te reizen. Hij drong zich zelf aan ons op, in de gedaante van een ei. Maar we zijn de dans ontsprongen.

Het litteken op mijn buik trekt langzaam weg en het litteken op mijn moeders hoofd gaat schuil onder nieuw haar. Ze hoeft de toverhoed niet meer op. Laatst vertelde zij me dat mijn jongere zus in verwachting is van haar derde kind. Mijn zusje durfde het me niet zelf te zeggen. Ik belde om haar te feliciteren. De huilbui die gewoonlijk op dit soort telefoontjes volgt, bleef uit.

Opgetogen over deze nieuwe mijlpaal belde ik Isabel. 'Ik heb zin om je te zien, zullen we samen uitgaan?' Het bleef even stil. 'Dan trakteer ik op lekker eten en zetten we het ouderwets op een zuipen!' voegde ik eraan toe.

'Ja, dat is een heel goed idee,' zei ze zacht. 'Laten we dat doen, dan kunnen we eindelijk weer eens bijpraten.'

Paul en ik vragen mijn elfjarige nichtje Ruth te logeren. Gedrieën fietsen we naar het strand en rollen van een zandheuvel naar beneden. Uitgelaten rennen we naar de zee. Na onze strandwandeling gaan we lunchen in een café. We eten een uitsmijter en drinken warme chocolademelk met slagroom. Als een vrouw van de wereld kijkt Ruth om zich heen. Ze komt zelden in een café. 'Weet je wat ik zo fijn vind met jullie?' vraagt ze op een verrukkelijke samenzweerderstoon. Ombeurten kijkt ze Paul en mij doordringend aan, ze gaat een belangrijke ontboezeming doen.

'Nou?' vraag ik gretig.

'Jullie zijn zo speels. Mijn ouders zijn veel strenger.'

'Als wij je ouders waren, zouden wij nog veel strenger zijn,' zegt Paul zo streng als hij kan. Mijn nichtje wil het niet geloven.

Ik heb moed gevat. Het is me alleen nog niet duidelijk welk soort moed: de moed om te doen, of de moed om te laten. Ik voel me sterk als de overlever van een natuurramp. Mij krijgen ze er niet meer onder. Ik zou een hersteloperatie kunnen ondergaan om mijn eileider weer doorgankelijk te maken, al is de kans op succes tamelijk klein. Ik zou nog een laatste IVF-poging kunnen doen. Maar ik zou het ook kunnen laten. Als ik er toch een keer mee moet stoppen, dan is dit het moment. Ik geloof dat ik nu sterk genoeg ben om mijn verlies te nemen. We hebben ons best gedaan. Het is mooi geweest. Het wordt tijd dat de vette jaren aanbreken.

Paul wil mij niet nog eens met een bleek gezicht en een gehavende buik op een ziekenhuisbed zien liggen. Hij zegt dat hij nu kan accepteren dat we geen kinderen zullen krijgen, maar eerst wil hij de mogelijkheid om te adopteren serieus onderzoeken. Hij nadert de wettelijke leeftijdsgrens voor adoptie van een baby. Niemand in onze vriendenkring heeft een kind geadopteerd. Ik associeer adoptie met probleemgevallen. Ik wil niet goed doen, ik wil een kind, of desnoods geen kind. Het staat me tegen om verplicht een cursus te volgen, op een wachtlijst te moeten, gescreend te worden op mijn geschiktheid als ouder, al schijnt dat een wassen neus te zijn. Mensen die adopteren, zijn vast heel gemotiveerde ouders, met een veel diepgewortelder kinderwens dan wij.

Aan de andere kant, waarom zouden we het eigenlijk niet doen? Waarom moeten we zo nodig een kind van onszelf? Dat is heus geen vrijwaring tegen problemen. Adoptie heeft ook iets avontuurlijks. Ik houd van avontuur. Zo'n procedure is papierhandel en geen gewroet in je lichaam. Het vergt tijd en geduld, maar intussen kun je doen wat je wilt. Aan het eind van het traject is de kans op een kind honderd procent. Dat is een heel wat hoger slagingspercentage dan bij IVF.

Op een feestje raak ik in gesprek met een vrouw die twee kinderen heeft geadopteerd. Ze zegt dat het de beste beslissing van haar leven is geweest. 'Hoe heb je die genomen?' vraag ik nieuwsgierig.

'Ik wilde graag een kind in mijn armen,' zegt ze. De eenvoud van haar argument treft me. Zo was het ook voor mij, toen ik Paul voor het eerst vroeg of we een kind zouden maken. Wat is er overgebleven van dat eenvoudige verlangen naar een kind?

We gunnen ons een reis naar Zuid-Afrika om onze gedachten te bepalen. Het is alweer een aantal jaar geleden dat we voor het laatst samen een verre reis hebben gemaakt. De laatste ging naar Guatemala en Honduras. Toen kwam ik terug met het plan om mijn tatoeage te laten zetten, in een poging tot controle over de kinderwens. Nu hoop ik dat we terugkomen met een beslissing over het loslaten daarvan.

We ontmoeten een rugzak-echtpaar op leeftijd. Ze hebben geen kinderen, maar maken de prachtigste wereldreizen. We zien onszelf over twintig jaar. Het is geen onaantrekkelijk beeld. Vanuit ons comfortabele logeeradres met uitzicht op zee nemen we alle reisbestemmingen op ons verlanglijstje door.

Dit gastenhuis wordt gerund door een kalende man met een petje en een onstuitbare ondernemingslust. Zijn eerste zaak was een 'Rent a husband'-service. Hij had het in alle onschuld bedacht als een klusjesbedrijf, maar de naamgeving wekte andere verwachtingen en het groeide uit tot een escortservice voor vrouwen. Maar succes verveelde hem. Telkens wanneer iets goed liep, begon hij iets nieuws. We halen de nacht met hem door, drinkend en luisterend naar zijn sterke verhalen. Zijn werk is zijn lust en zijn leven. Aangestoken door zijn enthousiasme gaan we dromen over wat wijzelf allemaal kunnen gaan ondernemen. Het ene plan na het andere borrelt op. Alles is nog mogelijk.

Naast ons logeeradres woont een zwart jongetje van een jaar of vier met grote ondeugende glinsterogen. Hij speelt altijd op straat, waar we hem minstens twee keer per dag tegenkomen: 's ochtends als we hand in hand op pad gaan om te wandelen of een duik in zee te nemen, en 's middags als we moe en voldaan weer terugkeren. We doen altijd hetzelfde spelletje met hem. 'Hello mister!' roept Paul hem toe en steekt beleefd zijn hand uit, alsof hij een belangrijk heerschap begroet.

'Hello mister!' antwoordt het jongetje stralend, terwijl hij Pauls hand grijpt en die zo hard begint te schudden dat de arm bijna uit de kom schiet. Paul brengt zijn linkerarm naar zijn rechterschouder met een van pijn vertrokken grimas en stort kreunend ter aarde. Samen proberen we hem weer overeind te trekken, ieder aan een arm, wat nog niet zo gemakkelijk gaat, want we lachen ons slap. Het jongetje heeft een aanstekelijke lach. Ik stel me voor hoe het zou zijn als hij ons kind was. De gedachte wordt steeds minder vreemd.

De natuur is hier van een overweldigende uitgestrektheid. In de wijde omtrek is er helemaal niemand te bekennen. We trekken al onze kleren uit en rennen de zee in. De golven zijn precies zoals ik ze het liefst heb. Hoog, maar regelmatig. Ze slaan niet vlak voor de kust om, maar een heel eind de zee in, en rollen dan uit tot aan het strand. De kunst is om het moment waarop de golf omslaat net vóór te zijn. Dan voert de bovenstroom je mee en word je één met de witte uitlopers, die je meters lang op hun krachtige rug meedragen. Je hoeft je alleen nog maar over te geven en te genieten.

'Nú!' roep ik tegen Paul als het ogenblik om mee te duiken weer is aangebroken. Soms blijft hij achter, soms is hij me voor, maar een enkele keer komen we samen op hetzelfde punt uit. Pauls ogen schitteren van verrukking. Ik vind hem nog altijd even mooi. Hij heeft een smal maar atletisch lichaam, het glanst bruin en nat in de zon. We wentelen ons in het warme zand en turen naar het blauwe water.

Ineens zien we daar iets bewegen. Het zijn dolfijnen, die zich uit de golven losmaken en er weer in duiken. Geen van beiden hebben we ooit echte dolfijnen gezien. Ritmisch bewegen ze omhoog en omlaag, met een wonderbaarlijke veerkracht en souplesse. We springen op om ze beter te kunnen zien. Ze zijn met heel veel. Steeds als we denken dat de laatste uit zicht is verdwenen, verschijnen er weer nieuwe sierlijke bogen aan de horizon.

'Mag ik je een onzedelijk voorstel doen?' vraag ik in vervoering aan Paul. 'Zullen we nog een keer samen in zee?'

Dit is een persoonlijk verhaal, maar het is absoluut niet uniek. Volgens gegevens van patiëntenvereniging Freya – vernoemd naar de Noorse godin van de vruchtbaarheid en de overwinning – heeft één op de zes stellen vruchtbaarheidsproblemen. De algemeen gehanteerde definitie van vruchtbaarheidsproblemen, ofwel subfertiliteit, is dat na een jaar doelbewust onbeschermd vrijen geen zwangerschap optreedt.

De Nederlandse Vereniging voor Obstetrie en Gynaecologie (NVOG) hanteert andere cijfers, die een vergelijkbaar beeld schetsen van de omvang van de vruchtbaarheidsproblematiek. In de NVOG-richtlijn Oriënterend Fertiliteits Onderzoek (no 1) staat: 'Ongeveer 25 procent van de Nederlandse paren bezoekt op enig moment tijdens de reproductieve fase van hun bestaan de huisarts met als klacht geen kinderen (meer) te kunnen krijgen. Ongeveer 15 procent wordt doorverwezen naar een specialist. Van degenen die een specialist bezoeken, blijkt tweederde (d.w.z. 10 procent van het totaal) te voldoen aan de definitie van subfertiliteit.' Volgens deze gegevens kun je stellen dat in de beleving van de betrokkenen één op de vier stellen vruchtbaarheidsproblemen heeft, en in de beleving van de artsen één op de tien stellen.

Vermoed wordt dat de vruchtbaarheid in welvarende westerse landen de laatste jaren is afgenomen. Bij de vrouw is een plausibele reden daarvoor dat het moederschap langer wordt uitgesteld. Vrouwen krijgen in Nederland hun eerste kind rond hun 29ste jaar, in België tussen hun 27ste en 28ste jaar. De meest vruchtbare leeftijd ligt echter rond de 23. Dat bij de man, mogelijk ten gevolge van de milieuvervuiling, de kwaliteit van het zaad achteruit gaat, heeft inmiddels de aandacht van de Verenigde Naties.

Volgens genoemde NVOG-richtlijn geldt als vuistregel dat in ongeveer dertig procent van de gevallen een oorzaak bij de vrouw wordt gevonden, en eveneens in ongeveer dertig procent bij de man. In ongeveer dertig procent bestaat er een combinatie van afwijkingen, terwijl er bij ongeveer tien procent geen aanwijsbare oorzaak is.

Bij de man is het eenvoudig de kwaliteit van het zaad te onderzoeken. Bij lichte zaadafwijkingen kan kunstmatige inseminatie (IUI of KIE[*]) een oplossing zijn. In dat geval zwemt het zaad op eigen kracht naar het eitje toe. Bij ernstiger afwijkingen wordt kunstmatige bevruchting (IVF[**]) aanbevolen, waarbij het zaad en het eitje in het laboratorium bij elkaar worden gebracht, maar het zaad wel zelf het ei binnendringt.

---

[*] IUI: intra uteriene inseminatie.

KIE: kunstmatige inseminatie met eigen zaad.

[**] IVF: in vitro fertilisatie.

Bij nog ernstiger zaadafwijkingen is ICSI* een mogelijke IVF-variant. Het verschil met gewone IVF is dat het zaadje in het laboratorium het ei wordt binnengeduwd. De twee nieuwe technieken MESA en TESE,** waarbij het zaad operatief uit de zaadbal of bijbal wordt verwijderd, zijn in Nederland (nog) niet toegestaan, maar worden in België en Duitsland wel uitgevoerd. Als het zaad helemaal niet voldoet, valt bevruchting met sperma van een andere man te overwegen. Dit is ook via kunstmatige inseminatie met donorzaad mogelijk (KID of IUD).***

Bij vrouwen is de oorzaak veel moeilijker vast te stellen, door de diverse voortplantingsorganen en hormonen die bij zwangerschap een rol spelen. De zorgen beginnen bij het uitblijven van de zwangerschap, of bij het (herhaaldelijk) optreden van miskramen of buitenbaarmoederlijke zwangerschappen. Naast hormoonstimulatie bieden sinds de jaren zeventig medische technieken nieuwe kansen. Jaarlijks worden in Nederland zo'n twaalf à dertienduizend IVF-behandelingen uitgevoerd. In België ligt dat aantal rond de zeven à achtduizend. De nieuwe technieken houden de hoop dat het toch nog lukt langer levend. Ze zijn echter zowel in emotioneel als fysiek opzicht belastend en lang niet altijd succesvol. Na drie IVF-pogingen is er in de helft van de gevallen nog geen resultaat.

In Nederland is door de overheid aan ziekenhuizen een verplicht slagingspercentage van tien procent opgelegd. Dat wordt door alle ziekenhuizen gehaald: het gemiddelde slagingspercentage ligt rond de twintig procent. Het ziekenfonds en de meeste particuliere verzekeraars vergoeden de eerste drie pogingen. Dat aantal is niet gerelateerd aan de slagingskans, die bij latere pogingen nauwelijks afneemt. Mensen die na de derde mislukking door willen gaan, moeten de behandeling zelf betalen. De kosten bedragen rond de 1150 euro per keer. Er is geen limiet aan het aantal toegestane behandelingen.

In België worden de slagingspercentages van de diverse ziekenhuizen niet centraal geïnventariseerd en op internet gezet, zoals in Nederland wel gebeurt. Doordat in België andere variabelen gelden dan in Nederland, zijn de slagingspercentages van de twee landen moeilijk te vergelijken. Volgens sommige deskundigen ontlopen de resultaten elkaar niet veel, andere beweren dat België aanzienlijk beter scoort. Het Belgische ziekenfonds vergoedt slechts een beperkt gedeelte van alle behandelingen. Per IVF-poging betaal je vanaf de eerste keer zelf 2300 à 2800 euro. In België bestaat geen overheidsbepaling voor slagingspercentages en evenmin een richtlijn voor het maximale aantal behandelingen.

De hamvraag voor de betrokkenen – in het ziekenhuis heten ze patiënten – is: hoe ver moet je gaan en wanneer moet je accepteren dat het niet lukt? Omdat dit laatste steeds moeilijker wordt naarmate je er meer in geïnvesteerd hebt, ben je geneigd je grenzen te blijven verleggen. Voor degenen die er baat bij vinden, zijn de behandelingen achteraf zonder meer de moeite waard. Voor hen die met lege handen achterblijven, is het allemaal verspilde pijn en moeite. Vijf à tien procent van alle mensen met vruchtbaarheidsproblemen blijft uiteindelijk kinderloos. Slechts één op de tien echtparen die zelf geen kinderen kunnen krijgen, kiest voor adoptie.

Ongewenste kinderloosheid is uiteraard niet voorbehouden aan heterostellen met vruchtbaarheidsproblemen. In sommige relaties is het om andere redenen niet mogelijk om kinderen te krijgen. Ook homostellen en alleenstaanden kunnen gebukt gaan onder een onvervulde kinderwens. Voor hen is de geringe maatschappelijke acceptatie van die wens een bijkomende complicerende factor.

De keuze om kinderloos te blijven, is in onze maatschappij nu heel legitiem. Maar onvrijwillige kinderloosheid blijft problematisch. Veel mensen zwijgen erover uit angst niet voor vol te worden aangezien, om anderen niet in verlegenheid te brengen en omdat het voor henzelf een pijnlijk en gênant onderwerp is. Op de vaak gestelde en gevreesde vraag naar eventuele kinderen is het eenvoudiger te zeggen dat je die (nog) niet wilt, dan dat je ze niet kunt krijgen. Maar het kan erg zwaar en eenzaam zijn om niet te praten over iets dat je leven zo beheerst.

Het is een keuze tussen twee kwaden. Ook wie voor openheid kiest, komt vaak van een koude kermis thuis. Flauwe grappen maar ook goedbedoelde reacties van de omgeving kunnen erg kwetsend zijn. Voor wie het zelf nog niet heeft kunnen aanvaarden, is de ongewenste kinderloosheid een open zenuw. Het verwerken ervan gaat gepaard met emoties als woede, wanhoop, zelfmedelijden en jaloezie. Dat zijn onaangename gevoelens die je zelf liever niet hebt en die bij anderen onbegrip en irritatie opwekken. Het verdriet om het verlies van een kind dat nooit 'echt' heeft bestaan, is moeilijk te delen en moeilijk te begrijpen voor wie het zelf nooit heeft meegemaakt. Voor mensen die met lotgenoten in contact willen komen, organiseert Freya lotgenoten- en themabijeenkomsten. In België worden soortgelijke initiatieven ontplooid door Sarah.

Dat het om ingrijpende ervaringen gaat, moge duidelijk zijn. De relatie met je partner wordt erdoor op de proef gesteld. Mannen en vrouwen gaan vaak verschillend om met hun verdriet. De band met vrienden en familieleden die wel kinderen krijgen, komt onder druk te staan. Berichten over zwangerschap en geboortes in je omgeving worden een terugkerende kwelling en kraamvisites een bezoeking. Je zelfvertrouwen krijgt een deuk wanneer je eigen lichaam je in de steek laat. Ziekenhuisonderzoeken, operaties en IVF-behandelingen nemen jarenlang veel tijd en energie in beslag. Dat gaat ten koste van andere activiteiten, zoals werk, ontspanning en sociale contacten. Het krijgen van kinderen is, voor wie dat graag wil, een essentiële levensvervulling. Het besef kinderloos te blijven – of geen tweede kind te kunnen krijgen –, betekent voor veel mensen de hevigste crisis van hun leven.

In de periode dat ik erg in de put zat, gaf een vriendin mij een Amerikaans boek met ervaringsverhalen over ongewenste kinderloosheid. Ik verslond die verhalen. Ik vond het een openbaring dat anderen in soortgelijke situaties net zo reageerden als ik. De weinig nobele gevoelens die ik bij mezelf bespeurde, bleken heel normaal te zijn. Een paar mensen in mijn naaste omgeving lazen het boek ook. Daarmee gaven ze aan dat ze wilden begrijpen wat ik doormaakte. Dat sterkte en troostte me.

Mensen met vergelijkbare ervaringen zullen vermoedelijk ook veel in mijn verhaal herkennen. Voor kennissen, vrienden, familieleden en mensen die beroepshalve bij vruchtbaarheidsproblemen zijn betrokken, kan het misschien bijdragen tot meer inzicht in de emotionele kant ervan. Voor anderen kan het informatief zijn, en hopelijk ook onderhoudend. In bredere zin gaat dit boek immers gewoon over het leven. Je streeft iets na en ondervindt tegenslagen. Dat is frustrerend. Soms zou je bijna vergeten hoeveel er te genieten valt.

Voor meer informatie en reacties op dit boek:
www.eisprong.org

Lezers: bedankt. Ik dank ook mijn twee dochters uit Guatemala en mijn geliefde, zonder wie ik dit boek niet had kunnen schrijven. Mijn moeder, die goud waard is. Mijn vader, die altijd achter me staat. Mijn hartsvriendin, met wie ik nu alle stormen kan doorstaan. Alle vriendinnen, vrienden en familieleden die al dan niet een rol spelen in dit verhaal. Meester Stoel, die zo lang heeft moeten wachten op mijn eerste boek. Mijn andere leermeester Kitty Zwart, die me liet zien dat kracht en kwetsbaarheid samengaan. De meelezers die me met hun enthousiaste reacties en opbouwende kritiek verder hebben geholpen. Mijn uitgevers, die vanaf het begin in dit plan geloofden en er hun brede mannenschouders onder hebben gezet.

ISBN

90 5330 304 9

NUGI

662, 661, 321

WD 2001/0034/151

© 2001 Judith Uyterlinde, Haarlem

TEKSTCORRECTIE

Sjoerd de Jong, Amsterdam

OMSLAGONTWERP

Victor Levie, Amsterdam

OMSLAGFOTO'S

Yvon Schoenmakers, Amsterdam

ZETWERK

MMS Grafisch Werk, Amsterdam

DRUK

WS Bookwell, Porvoo (FIN)

www.eisprong.org
www.metsenschilt.com
www.standaard.com

Eerste druk: maart 2001
Tweede druk: april 2001